Themen neu

Lehrwerk für Deutsch als Fremdsprache

Arbeitsbuch 2

von
Hartmut Aufderstraße
Heiko Bock
Jutta Müller

Max Hueber Verlag

Verlagsredaktion: Werner Bönzli
Layout und Herstellung: Erwin Schmid
Zeichnungen Seite 78 und 117: Ruth Kreuzer, London
Alle anderen Illustrationen: Joachim Schuster, Baldham
Umschlagfoto: © Eric Bach/Superbild, München
Fotos: Seite 8: Michael Jackson: Süddeutscher Verlag, Bilderdienst, München © Ursula Röhnert
　　　　　Mick Jagger: dpa/Pressens Bild
　　　　　Bud Spencer/Klaus Kinski: Kinoarchiv Engelmeier, Hamburg
　　　　Seite 30: Taurus Film, Unterföhring
　　　　Seite 52: Christian Regenfus, München

Der Umwelt zuliebe:
gedruckt auf chlor- und säurefreiem Papier

Dieses Werk folgt der Rechtschreibreform vom 1. Juli 1996.

3.　2.　1　　　　　Die letzten Ziffern bezeichnen
2001　2000　1999　98　97　　Zahl und Jahr des Druckes.
Alle Drucke dieser Auflage können, da unverändert, nebeneinander
benutzt werden.
2., gemäß der Rechtschreibreform veränderte Auflage 1997
© 1993 Max Hueber Verlag, D-85737 Ismaning
Gesamtherstellung: Ludwig Auer GmbH, Donauwörth
Printed in Germany
ISBN 3–19–011522–2

Inhalt

Vorwort

In diesem Arbeitsbuch zu „Themen neu 2" werden die wichtigen Redemittel jeder Lektion einzeln herausgehoben und ihre Bildung und ihr Gebrauch geübt. Alle Übungen sind einzelnen Lernschritten im Kursbuch zugeordnet.

Jeder Lektion ist eine Übersicht über den Wortschatz und die Grammatikstrukturen vorangestellt, die in der betreffenden Lektion gelernt werden. In die Wortschatzliste sind auch Wörter aufgenommen, die schon in „Themen neu 1" eingeführt wurden und in diesem Band wiederholt werden. Die Übersichten sind sowohl eine Orientierungshilfe für die Kursleiterin oder den Kursleiter als auch eine Möglichkeit der Selbstkontrolle für die Lernenden: Nach Durchnahme der Lektion sollte ihnen kein Eintrag in der Wortliste und der Zusammenstellung der Grammatikstrukturen mehr unbekannt sein. Die Autoren empfehlen nicht, diese Liste als solche auswendig zu lernen – das Durcharbeiten der Übungen, auch mehrfach, setzt einen effizienteren Lernprozess in Gang.

Zu den meisten Übungen gibt es im Schlüssel eine Lösung. Dies ermöglicht es den Lernenden selbständig zu arbeiten und sich selbst zu korrigieren. Zusammen mit dem Kursbuch und evtl. einem Glossar kann dieses Arbeitsbuch dazu dienen, versäumte Stunden selbständig nachzuholen.

Die Übungen dieses Arbeitsbuchs können im Kurs vor allem nach Erklärungsphasen in Stillarbeit eingesetzt werden. Je nach den Lernbedingungen der Kursteilnehmer können die Übungen aber auch weitgehend in häuslicher Einzelarbeit gemacht werden. (Über die Möglichkeit, die Lösungen aus dem Schlüssel abzuschreiben, sollte man sich nicht allzu viele Gedanken machen. Oft ist der Lernerfolg dabei fast ebenso groß. Manche Lernende lassen sich von dem Argument überzeugen, dass das Abschreiben meistens wesentlich mühsamer ist als ein selbständiges Lösen der Aufgabe.)

Nicht alle Übungen lassen sich im Arbeitsbuch selbst lösen; für manche Übungen wird also eigenes Schreibpapier benötigt.

Verfasser und Verlag

Lektion 1

Wortschatz

Verben

ändern 19
ansehen 9
anziehen 14
ärgern 17

aussehen 8
finden 8
gefallen 13
gehören zu 10

kritisieren 16
kündigen 17
lügen 18
stecken 16

verlangen 18
vorstellen 9
zahlen 18

Nomen

e/r Angestellte, -n (ein
   Angestellter) 17
r Anzug, ̈e 14
r Arbeitgeber, - 17
s Arbeitsamt 17
s Auge, -n 10
s Badezimmer, -
   17
r Bauch, ̈e 12
e Bluse, -n 13
e Brille, -n 13
r Bruder, ̈ 15
e Chefin, -nen 12

r Ehemann, ̈er 11
s Ergebnis, -se 16
e Farbe, -n 13
r Feind, -e 12
s Gesicht, -er 10
s Haar, -e 13
r Hals, ̈e 10
s Hemd, -en 14
e Hochzeit, -en 14
e Hose, -n 14
e Jacke, -n 13
r Job, -s 17
s Kleid, -er 13

e Kleidung 13
r Kollege, -n 12
e Krawatte, -n 14
e Leistung, -en 18
e Liebe 16
r Mann, ̈er 12
e Meinung, -en 13
r Morgen 16
r Mund, ̈er 10
r Musiker, - 8
r Prozess, -e 17
r Pullover, - 13
r Punkt, -e 16

r Rechtsanwalt, ̈e 17
s Restaurant, -s 16
r Rock, ̈e 13
r Schuh, -e 13
e Sorge, -n 12
e Stelle, -n 17
r Strumpf, ̈e 13
r Test, -s 16
e Tochter, ̈ 16
s Vorurteil, -e 12
r Wagen, - 16

Adjektive

alt 8
angenehm 16
arm 16
ähnlich 15
blau 10
blond 8
braun 10
dick 8
dumm 8
dunkel 13
dünn 8
ehrlich 16
elegant 11
freundlich 8

gefährlich 12
gelb 11
gemütlich 8
genau 9
gleich 18
grau 11
grün 11
gut 9
hässlich 8
hübsch 8
intelligent 8
interessant 12
jung 8
klug 12

komisch 8
konservativ 13
kurz 10
lang 10
langweilig 8
lustig 8
nervös 8
nett 8
neu 11
offen 16
pünktlich 16
rot 11
ruhig 8
rund 10

schlank 8
schmal 10
schön 8
schwarz 10
selten 12
sportlich 11
sympathisch 8
traurig 8
treu 12
verrückt 16
voll 12
weich 13
weiß 11
wunderbar 16

Adverbien

bestimmt 19
etwa 8
immer 12

meinetwegen 18
meistens 12
nie 12

nur 17
oft 12
sonst 18

weiter- 9
wieder- 17
ziemlich 8

Funktionswörter

alle 16
dieser 16

jeder 16
manche 16

un- 8
viel 9

welcher 15
wie 8

Lektion 1

Grammatik

Adjektiv: Vergleiche (§ 8)

gleich: so	groß schwer …	wie		*nicht gleich:*	größer schwerer …	als

Adjektiv: Endungen (§ 5)

Nominativ			*Akkusativ*			*Dativ*			*Genitiv*		
der	kleine	…	den	kleinen	…	dem	kleinen	…	des	kleinen	…
die			die	kleine		der			der		
das			das			dem			des		
die	kleinen	…	die	kleinen	…	den	kleinen	…	der	kleinen	…
ein	kleiner	…	einen	kleinen	…	einem	kleinen	…	eines	kleinen	…
eine	kleine		eine	kleine		einer			einer		
ein	kleines		ein	kleines		einem			eines		
–	kleine	…	–	kleine	…	–	kleinen	…	–	kleiner	…

Artikelwörter (§ 1)

Singular	*Maskulinum:*	der	dieser	mancher	jeder
		den	diesen	manchen	jeden
		dem	diesem	manchem	jedem
		des	dieses	manches	jedes
	Femininum:	die	diese	manche	jede
		die	diese	manche	jede
		der	dieser	mancher	jeder
		der	dieser	mancher	jeder
	Neutrum:	das	dieses	manches	jedes
		das	dieses	manches	jedes
		dem	diesem	manchem	jedem
		des	dieses	manches	jedes
	Plural	die	diese	manche	alle
		die	diese	manche	alle
		den	diesen	manchen	allen
		der	dieser	mancher	aller

1. Was findet man bei einem Menschen normalerweise positiv, was negativ?

Nach Übung

2

im Kursbuch

	positiv	negativ
nett lustig sympathisch dumm intelligent freundlich langweilig unsympathisch hässlich attraktiv ruhig hübsch schön schlank dick komisch nervös gemütlich unfreundlich		

2. Was passt nicht?

Nach Übung

2

im Kursbuch

a) nett – freundlich – sympathisch – hübsch
b) schlank – intelligent – groß – blond
c) alt – dick – dünn – schlank
d) blond – langhaarig – attraktiv – schwarzhaarig
e) hässlich – hübsch – schön – attraktiv
f) nervös – ruhig – gemütlich – jung
g) nett – komisch – unsympathisch – unfreundlich

3. „Finden", „aussehen", „sein"? Was passt?

Nach Übung

2

im Kursbuch

a) Jens _____ ich langweilig _____ .
b) Vera _____ sympathisch _____ .
c) Anna _____ blond _____ .
d) Gerd _____ ich attraktiv _____ .
e) Ute _____ intelligent _____ .

f) Paul _____ 30 Jahre alt _____ .
g) Vera _____ 1 Meter 64 groß _____ .
h) Gerd _____ traurig _____ .
i) Paul _____ ich hässlich _____ .

4. Was passt? Ergänzen Sie.

Nach Übung

3

im Kursbuch

Renate 157   Karin 159   Nadine 170   Sonja 172   Christa 186

| ein bisschen/etwas |
| über |
| nur/bloß |
| fast |
| mehr |
| viel genau |
| etwa/ungefähr |

a) Karin ist _____ größer als Renate.
b) Karin ist _____ 10 Zentimeter kleiner als Nadine.
c) Sonja ist _____ 2 Zentimeter größer als Nadine.
d) Christa ist _____ größer als Nadine.
e) Nadine ist _____ als 10 Zentimeter größer als Karin.
f) Nadine ist _____ 10 Zentimeter größer als Karin.
g) Christa ist _____ 30 Zentimeter größer als Renate.
h) Christa ist _____ 14 Zentimeter größer als Sonja.

Lektion 1

Nach Übung

6

im Kursbuch

5. Was ist typisch für...?

a)

Michael
Jackson

Nase: klein *Die kleine Nase* .
Haare: schwarz *Die* .
Gesicht: hübsch _____ .
Haut: braun _____ .

b)

Klaus
Kinski

Augen: gefährlich _____ .
Gesicht: schmal _____ .
Haare: dünn _____ .
Haut: hell _____ .

c)

Bud
Spencer

Gesicht: lustig _____ .
Arme: stark _____ .
Bauch: dick _____ .
Appetit: groß _____ .

d)

Mick
Jagger

Beine: lang _____ .
Lippen: dick _____ .
Bauch: dünn _____ .
Nase: groß _____ .

Nach Übung

6

im Kursbuch

6. Was passt nicht?

a) Gesicht: schmal – rund – stark – breit
b) Augen: groß – klein – schmal – schlank
c) Nase: rund – lang – breit – kurz – dick – klein
d) Beine: lang – dünn – schlank – groß – dick – kurz
e) Mensch: groß – kurz – klein – schlank – dünn – dick

7. Hartmut hatte Geburtstag. Wer hat ihm die Sachen geschenkt? Schreiben Sie.

Nach Übung

7

im Kursbuch

a) Fotoapparat: billig/Bernd
   Den billigen Fotoapparat hat Bernd ihm geschenkt.
b) Uhr: komisch/Petra
c) Buch: langweilig/Udo
d) Pullover: hässlich/Inge
e) Kuchen: alt/Carla
f) Wein: sauer/Dagmar
g) Jacke: unmodern/Horst
h) Kugelschreiber: kaputt/Holger
i) Radio: billig/Rolf

8. Mit welcher Farbe malt man diese Dinge?

Nach Übung

7

im Kursbuch

braun	rot	gelb	schwarz	grün	weiß	blau

a) Sonne: _____
b) Feuer: _____
c) Schnee: _____
d) Wasser: _____

e) Nacht: _____
f) Wiese: _____
g) Erde: _____

9. „Welches findest du besser?" Schreiben Sie.

Nach Übung

7

im Kursbuch

a) Kleid (lang/kurz)
   Welches Kleid findest du besser, das lange oder das kurze?
b) Mantel (gelb/braun)
c) Jacke (grün/weiß)
d) Pullover (dick/dünn)
e) Mütze (klein/groß)
f) Hose (blau/rot)
g) Handschuhe (weiß/schwarz)

10. Ordnen Sie.

Nach Übung

10

im Kursbuch

manchmal	nie	meistens/fast immer		fast nie/sehr selten	immer	oft
sehr oft			selten	sehr selten		

nie _____ → _____ → _____ → _____ →
_____ → _____ → _____ → _____

Lektion 1

Nach Übung

10

im Kursbuch

11. Kennen Sie das Märchen von König Drosselbart? Die schöne Königstochter soll heiraten, aber kein Mann gefällt ihr.

Was sagt sie über die anderen Männer? Schreiben Sie.

b) *Wie hässlich! So ein*

...

Brust	Mund	Arme	Beine	Bauch	Nase	Gesicht
lang	dick	kurz	traurig	dünn	groß	schmal

Nach Übung

11

im Kursbuch

12. Bildlexikon. Wie heißen die Kleidungsstücke? Schreiben Sie auch die Artikel.

a) *die*   *Jacke*
b) *das*   *Kleid*
c) _____
d) _____
e) _____
f) _____
g) _____
h) _____
i) _____
j) _____
k) _____

Lektion 1

13. Was passt?

| Aussehen   Mensch/Charakter   Haare   Kleidung |

Nach Übung
11
im Kursbuch

a) _____ : dünn – lang – blond – dunkel – kurz – hell – rot – braun

b) _____ : sportlich – elegant – konservativ – teuer – neu – attraktiv – schön – modern

c) _____ : intelligent – dumm – klug – langweilig – gefährlich – ehrlich – konservativ – komisch – nett – alt – lustig – nervös – ruhig – jung

d) _____ : schön – hübsch – interessant – hässlich – attraktiv – schlank – groß – dick – klein

14. Beschreiben Sie die Personen.

Nach Übung
11
im Kursbuch

a) Er hat *einen dicken* _____ Bauch.
_____ Beine.
_____ Füße.
_____ Haare.
_____ Brille.
_____ Gesicht.
_____ Nase.
_____ Mund.

b) Sein Bauch ist *dick.*
Seine Beine sind _____
Seine Füße sind _____
Seine Haare sind _____
Seine Brille ist _____
Sein Gesicht ist _____
Seine Nase ist _____
Sein Mund ist _____

c) Sie hat _____ Ohren.
_____ Haare.
_____ Nase.
_____ Mund.
_____ Beine.
_____ Gesicht.
_____ Füße.
_____ Hals.

d) Ihre Ohren sind _____
Ihre Haare sind _____
Ihre Nase ist _____
Ihr Mund ist _____
Ihre Beine sind _____
Ihr Gesicht ist _____
Ihre Füße sind _____
Ihr Hals ist _____

Lektion 1

Nach Übung

17

im Kursbuch

15. Ergänzen Sie.

a) Er trägt einen schwarz*en*_____ Pullover mit einem weiß_____ Hemd.
b) Sie trägt einen blau_____ Rock mit einer gelb_____ Bluse.
c) Er trägt schwer_____ Schuhe mit dick_____ Strümpfen.
d) Sie trägt einen dunkl_____ Rock mit einem rot_____ Pullover.
e) Sie trägt ein weiß_____ Kleid mit einer blau_____ Jacke.
f) Sie trägt eine braun_____ Hose mit braun_____ Schuhen.

Nach Übung

17

im Kursbuch

16. Ihre Grammatik. Ergänzen Sie.

	Nominativ	Akkusativ	Dativ
Mantel: rot	*ein roter Mantel*	*einen*	
Hose: braun			
Kleid: blau			
Schuhe: neu			

Nach Übung

17

im Kursbuch

17. Ergänzen Sie.

○ Sag mal, was soll ich anziehen?

a) ☐ Den schwarz*en*_____ Mantel
mit der weiß*en*_____ Mütze.
b) ☐ Das blau_____ Kleid
mit der rot_____ Jacke.
c) ☐ Die braun_____ Schuhe
mit den grün_____ Strümpfen
d) ☐ Die hell_____ Bluse
mit dem gelb_____ Rock.
e) ☐ Die rot_____ Jacke
mit dem schwarz_____ Kleid.

Nach Übung

17

im Kursbuch

18. Ihre Grammatik. Ergänzen Sie.

	Nominativ	Akkusativ	Dativ
Mantel: rot	*der rote Mantel*	*den*	
Hose: braun			
Kleid: blau			
Schuhe: neu			

19. Schreiben Sie Dialoge.

Nach Übung

17

im Kursbuch

a) Bluse: weiß, blau

○ *Du suchst doch eine Bluse.*
   Wie findest du die hier?
□ *Welche meinst du?*
○ *Die weiße.*
□ *Die gefällt mir nicht.*
○ *Was für eine möchtest du denn?*
□ *Eine blaue.*

b) Hose: braun, schwarz
c) Kleid: kurz, lang
d) Rock: rot, gelb
e) Schuhe: blau, weiß

20. Ihre Grammatik. Ergänzen Sie.

Nach Übung

17

im Kursbuch

	Nominativ	Akkusativ	Dativ
Mantel	*Was für ein Mantel?* *Welcher Mantel?*	*Was für ei* *Welch*	*Mit was für* *Mit*
Hose			
Kleid			
Schuhe			

21. Was passt?

Nach Übung

17

im Kursbuch

a) schreiben : Schriftsteller / Musik machen : _____
b) Mutter : Vater / Tante : _____
c) Bruder : Schwester / Sohn : _____
d) Gramm (g) : Kilo (kg) / Zentimeter (cm) : _____
e) Chefin : Chef / Ehefrau : _____
f) wohnen : Nachbar / arbeiten : _____
g) Frau : Bluse / Mann : _____
h) Geburtstag haben : Geburtstagsfeier / heiraten : _____
i) schlecht hören : Hörgerät / schlecht sehen : _____
j) nichts : alles / leer : _____
k) Sorgen : viele Probleme / Glück : _____

Lektion 1

Nach Übung

17

im Kursbuch

22. Ergänzen Sie „welch-?" und „dies-".

a) ○ *Welcher* _____ Rock ist teurer? □ *Dieser* _____ rote hier.
   ○ _____ Hose ist teurer? □ _____ braune hier.
   ○ _____ Kleid ist teurer? □ _____ gelbe hier.
   ○ _____ Strümpfe sind teurer? □ _____ blauen hier.

b) ○ _____ Anzug nimmst du? □ _____ schwarzen hier.
   ○ _____ Bluse nimmst du? □ _____ weiße hier.
   ○ _____ Hemd nimmst du? □ _____ blaue hier.
   ○ _____ Schuhe nimmst du? □ _____ braunen hier.

c) ○ Zu _____ Rock passt die Bluse? □ Zu _____ roten hier.
   ○ Zu _____ Hose passt das Hemd? □ Zu _____ weißen hier.
   ○ Zu _____ Kleid passt der Mantel? □ Zu _____ braunen hier.
   ○ Zu _____ Schuhen passt die Hose? □ Zu _____ schwarzen hier.

Nach Übung

18

im Kursbuch

23. Ergänzen Sie.

kritisieren	Test	Arbeitsamt	Prozess	Angestellte
Ergebnis	angenehm	verrückt		Arbeitgeberin
Typ	Stelle	pünktlich		Wagen

a) Frau Brandes hat die Firma gekauft. Sie ist jetzt _____ und hat 120 _____ .

b) Hans ist arbeitslos. Er bekommt Geld vom _____ .

c) Hans kommt nie zu spät. Er ist immer _____ .

d) Eine Irokesenfrisur, das ist doch nicht normal, das ist _____ .

e) Frau Peters ist ruhig, nett und freundlich. Sie ist wirklich eine _____ Kollegin.

f) Karin hat ihren _____ gewonnen. Das Gericht hat ihr Recht gegeben.

g) Lutz ist glücklich. Er war drei Monate arbeitslos, aber jetzt hat er eine neue _____ gefunden.

h) Franz war gestern beim Arzt und hat einen Bluttest gemacht. Das _____ bekommt er nächste Woche.

i) Heinz hat seine Arbeit immer gut gemacht. Sein Chef musste ihn nie _____ .

j) Heinz sieht komisch aus, aber er ist ein sehr netter _____ .

k) Morgen geht Sonja zu Fuß zur Arbeit. Ihr _____ ist kaputt.

l) Der _____ war positiv: Die Qualität des Produkts ist sehr gut.

Lektion 1

24. „Jeder", „alle" oder „manche"? Ergänzen Sie.

Nach Übung
18
im Kursbuch

a) ○ Wie finden Sie die Entscheidung des Arbeitsamtes? ☐ Richtig! _____
Punks sind doch gleich! Die wollen doch nicht arbeiten. Das weiß man doch.
  ○ Aber _____ suchen doch Arbeit! Heinz Kuhlmann zum Beispiel.
  ☐ Das glaube ich nicht.
b) ○ Finden Sie _____ Punk unsympathisch?
  ☐ Nein. Es gibt auch nette Punks. Nur _____ mag ich nicht.
c) ○ Hat das Arbeitsamt recht? ☐ Nein, das Arbeitsamt muss _____ Personen
   die gleiche Chance geben, auch _____ arbeitslosen Punk.
d) ○ Gefallen Ihnen Punks? ☐ Ich finde sie eigentlich ganz lustig, aber nicht
   _____ sind gleich. Viele tragen interessante Kleidung, nur
   _____ finde ich hässlich.

25. Ihre Grammatik. Ergänzen Sie.

Nach Übung
18
im Kursbuch

	Singular						Plural		
Nominativ	der	jeder	die	jede	das	jedes	die	alle	manche
Akkusativ	den		die		das				
Dativ	dem		der		dem				

26. Ordnen Sie.

Nach Übung
21
im Kursbuch

> Du hast Recht.   Ich bin anderer Meinung.   Das finde ich nicht.   Das stimmt.
> Das ist richtig.   Das ist falsch.   Das ist auch meine Meinung.
> Das finde ich auch.   Das ist Unsinn.   So ein Quatsch!   Ich glaube das auch.
> Einverstanden!   Das ist wahr.   Das stimmt nicht.   Das ist nicht wahr.

pro (+) | contra (−)

27. Welche Verben passen am besten?

Nach Übung
21
im Kursbuch

kündigen   kritisieren   verlangen   zahlen   tragen   lügen

a) falsch, nicht wahr, nicht ehrlich: _____
b) unbedingt wollen, nicht bitten: _____
c) Geld, Rechnung, kaufen: _____
d) Kleidung, Schuhe, Schmuck: _____
e) schlecht finden, sagen warum: _____
f) nicht mehr arbeiten wollen, unzufrieden, neuer Job: _____

Lektion 2

Wortschatz

Verben

anbieten 29
anfangen 33
aufhören 24
aussuchen 27
beginnen 29
bestimmen 24

bewerben 32
dauern 27
kämpfen 29
kennen 29
kennen lernen 24
lernen 24

lesen 32
lösen 31
schaffen 29
sollen 24
stimmen 28
suchen 24

überlegen 28
verdienen 22
versprechen 31
vorbereiten 31
werden 23
zuhören 28

Nomen

e Antwort, -en 29
e Anzeige, -n 32
r Arzt, ⸚e 23
e Aufgabe, -n 32
r Augenblick, -e 24
e Ausbildung 24
r Beamte, -n (ein Beamter) 30
r Beruf, -e 22
r Betrieb, -e 31
e Bewerbung, -en 29
r Bundeskanzler 22
r Computer, - 31
s Datum, Daten 32
s Diplom, -e 29
s Examen, - 29

r Export, -e 32
e Fahrt, -en 33
e Firma, Firmen 31
s Gehalt, ⸚er 31
r Grund, ⸚e 33
e Grundschule 27
s Gymnasium, Gymnasien 27
Haupt- 27
e Hauptsache, -n 33
r Import, -e 32
s Inland 31
e Kantine, -n 31
r Kindergarten, ⸚ 29
e Klasse, -n 22

e Lehre, -n 27
r Maurer, - 24
r Monat, -e 29
e Möglichkeit, -en 28
r Nachteil, -e 28
e Nummer, -n 31
r Politiker, - 22
r Polizist, -en 30
s Problem, -e 29
e Prüfung, -en 30
e Religion, -en 27
e Schauspielerin, -nen 23
e Schule, -n 25
r Schüler, - 27
e Sekretärin, -nen 31
s Semester, - 29

e Sicherheit 33
e Sprache, -n 22
r Student, -en 29
s Studium, Studien 29
r Termin, -e 31
r Text, -e 28
e Universität, -en 29
e Verkäuferin, -nen 24
r Vertrag, ⸚e 31
r Vorteil, -e 28
e Wirtschaft 29
s Wort, ⸚er 31
r Zahnarzt, ⸚e 24
e Zahnärztin, -nen 24
s Zeugnis, -se 28

Adjektive

anstrengend 24
arbeitslos 29
ausgezeichnet 31
bekannt 24

dringend 31
geehrt 32
leicht 33
praktisch 24

sauber 24
schlecht 25
schlimm 28
schmutzig 24

schwer 24
selbständig 24
toll 24
wichtig 22

Adverbien

hiermit 32

je 33

mindestens 28

sicher 30

Funktionswörter

dann 22
denn 29
deshalb 24

mehrere 31
obwohl 24
seit 32

trotzdem 29
von ... bis ... 27
wann 32

warum 23
weil 23
wenn 27

Ausdrücke

auf eine Schule gehen 28	auf keinen Fall 33	es gibt 27	zufrieden sein 24
auf jeden Fall 33	eine Schule besuchen 27	Lust haben 24	zur Schule gehen 22
		Spaß machen 24	

Grammatik

Nebensätze: „weil", „obwohl", „wenn" (§ 22 und 23)

Junktor	Vorfeld	Verb$_1$	Subj.	Angabe	Ergänzung	Verb$_2$	Verb$_1$ im Nebensatz
	Sabine	will			Fotomodell	werden.	
	Das	ist			ein schöner Beruf.		
	Sabine	will			Fotomodell	werden,	
weil			das		ein schöner Beruf		ist.
	Paul	möchte			Nachtwächter	werden,	
obwohl			er	dann nachts		arbeiten	muss.
Wenn			Paul		Nachtwächter		wird,
		muss	er	nachts		arbeiten.	

Modalverben: Präteritum (§ 19)

ich	wollte	konnte	durfte	sollte	musste
du	wolltest	konntest	durftest	solltest	musstest
Sie	wollten	konnten	durften	sollten	mussten
er / sie / es	wollte	konnte	durfte	sollte	musste
wir	wollten	konnten	durften	sollten	mussten
ihr	wolltet	konntet	durftet	solltet	musstet
Sie	wollten	konnten	durften	sollten	mussten
sie	wollten	konnten	durften	sollten	mussten

Ordinalzahlen (§ 9)

der | erste, zweite, dritte, vierte, fünfte, sechste, siebte, achte, neunte, … Mai
zwanzigste, einundzwanzigste, zweiundzwanzigste, … Dezember
hundertste, hundertunderste, hundertundzweite, … Tag
tausendste, tausendunderste, … Kursteilnehmer
tausendeinhundertste, tausendeinhundertunderste, … Kunde
millionste VW

Endungen wie Adjektivendungen: Seite 6!

Lektion 2

1. Sagen Sie es anders.

a) Peter möchte Zoodirektor werden, denn er mag Tiere.
   Peter möchte Zoodirektor werden, weil er Tiere mag.
   Weil Peter Tiere mag, möchte er Zoodirektor werden.

b) Gabi will Sportlerin werden, denn sie möchte eine Goldmedaille gewinnen.
c) Sabine will Fotomodell werden, denn sie mag schöne Kleider.
d) Paul mag abends nicht früh ins Bett gehen. Deshalb möchte er Nachtwächter werden.
e) Sabine möchte viel Geld verdienen, deshalb will sie Fotomodell werden.
f) Paul will Nachtwächter werden, denn er möchte nachts arbeiten.
g) Julia will Dolmetscherin werden, denn dann kann sie oft ins Ausland fahren.
h) Julia möchte gern viele Sprachen verstehen. Deshalb möchte sie Dolmetscherin werden.
i) Gabi will Sportlerin werden, denn sie ist die Schnellste in ihrer Klasse.

Ihre Grammatik. Ergänzen Sie.

	Junktor	Vorfeld	Verb₁	Subj.	Erg.	Ang.	Ergänzung	Verb₂	Verb₁ im Nebensatz
a)		*Peter*	*möchte*				*Zoodirektor*	*werden,*	
	denn	*er*	*mag*				*Tiere.*		
		Peter	*möchte*				*Zoodirektor*	*werden,*	
	weil			*er*			*Tiere*		*mag.*
b)		*Gabi*	*will*						
c)									

Lektion 2

2. Präsens oder Präteritum? Ergänzen Sie die richtige Form von „wollen".

a) Franz _wollte_ eigentlich Ingenieur werden; heute ist er Automechaniker.

b) Hanna _will_ Managerin werden, deshalb studiert sie Betriebswirtschaft.

c) Christas Traumberuf war Schauspielerin, aber ihre Eltern _wollten_ das nicht. Heute ist sie Lehrerin.

d) ○ Was _willst_ du werden?
   □ Das weiß ich nicht mehr. Das habe ich vergessen.

e) ○ Was _wolltet_ ihr beide werden?   □ Das wissen wir noch nicht.

f) Meine Schwester und ich, wir _wollten_ eigentlich beide studieren. Aber unsere Eltern hatten nicht genug Geld.

g) ○ Warum _willst_ du Dolmetscherin werden?
   □ Weil ich dann oft ins Ausland reisen kann.

h) Ihr seid beide Lehrer. War das euer Traumberuf, oder _wolltet_ ihr eigentlich ~actually~ etwas anderes werden?

i) ○ Findest du deinen Beruf interessant? Bist du zufrieden?
   □ Nein, eigentlich _wollte_ ich Ärztin werden.

j) ○ Möchtet ihr studieren?   □ Nein, wir _wollen_ beide einen Beruf lernen.

3. Ihre Grammatik. Ergänzen Sie.

ich	du	er, sie es, man	wir	ihr	sie	Sie
will	w					
wollte						

4. Was passt?

| kennen lernen | Schauspielerin | Zahnarzt | Verkäufer |
| Ausbildung | Maurer | verdienen | Zukunft | Klasse |

a) Restaurant : Kellner / Geschäft : _____

b) arbeiten : Beruf / lernen : _____

c) ausgeben : bezahlen / bekommen : _____

d) Schule : Lehrerin / Theater : _____

e) Augen : Augenarzt / Zähne : _____

f) jetzt : im Augenblick / in 3 Jahren : in der _____

g) mit Farbe malen : Maler / mit Steinen bauen : _____

h) Sprachen : lernen / Leute : _____

i) Sport : Mannschaft / Schule : _____

Lektion 2

Nach Übung

4

im Kursbuch

5. Zwei Adjektive passen nicht.

a) Die Arbeit ist…:   schmutzig, interessant, wichtig, einfach, leicht, klein, schwer, gefährlich,
jung, langweilig, laut, anstrengend

b) Er arbeitet…:   schnell, bekannt, selbständig, sauber, genau, schlank, langsam

c) Die Arbeitskollegin ist…:   schlank, klein, arm, reich, stark, frisch, schön, zufrieden, nett,
einfach, langweilig, freundlich, toll

d) Die Maschine ist…:   zufrieden, kaputt, schmutzig, sauber, klein, freundlich, laut, schwer,
gefährlich

Nach Übung

5

im Kursbuch

6. Ihre Grammatik. Ergänzen Sie.

	können	dürfen	sollen	müssen
ich	*konnte*			
du				
er, sie es, man				
wir				
ihr				
sie				
Sie				

Nach Übung

6

im Kursbuch

7. „Obwohl" oder „weil"? Was passt?

a) Herr Gansel musste Landwirt werden, _____ seine Eltern einen Bauernhof
hatten.

b) Frau Mars ist Stewardess geworden, _____ ihre Eltern das nicht wollten.

c) Herr Schmidt arbeitet als Taxifahrer, _____ ihm die unregelmäßige Arbeitszeit
nicht gefällt.

d) Herr Schmidt konnte nicht mehr als Maurer arbeiten, _____ er einen Unfall
hatte.

e) Frau Voller sucht eine neue Stelle, _____ sie nicht genug verdient.

f) Frau Mars liebt ihren Beruf, _____ die Arbeit manchmal sehr anstrengend ist.

g) Herr Gansel musste Landwirt werden, _____ er es gar nicht wollte.

Ihre Grammatik. Ergänzen Sie mit den Sätzen d) bis g).

Junktor	Vorfeld	Verb$_1$	Subj.	Erg.	Angabe	Ergänzung	Verb$_2$	Verb$_1$ im Nebensatz
d)	*Herr Sch.*	*konnte*			*nicht mehr*	*als Maurer*	*arbeiten*	
weil			*er*			*einen Unfall*		*hatte.*
e)								
f)								
g)								

8. Geben Sie einen Rat.

Nach Übung
11
im Kursbuch

Wolfgang hat gerade seinen Realschul-abschluss gemacht. Er weiß noch nicht, was er jetzt machen soll. Geben Sie ihm einen Rat.

a) Bankkaufmann werden – jetzt schnell eine Lehrstelle suchen
Wenn du Bankkaufmann werden willst, dann musst du jetzt eine Lehrstelle suchen.
, dann such jetzt schnell eine Lehrstelle.

b) studieren – aufs Gymnasium gehen
c) sofort Geld verdienen – die Stellenanzeigen in der Zeitung lesen
d) nicht mehr zur Schule gehen – einen Beruf lernen
e) noch nicht arbeiten – weiter zur Schule gehen
f) später zur Fachhochschule gehen – jetzt zur Fachoberschule gehen
g) einen Beruf lernen – die Leute beim Arbeitsamt fragen

Lektion 2

9. Bilden Sie Sätze.

a) Kurt / eine andere Stelle suchen / weil / mehr Geld verdienen wollen
   Kurt sucht eine andere Stelle, weil er mehr Geld verdienen will.
   Weil Kurt mehr Geld verdienen will, sucht er eine andere Stelle.

b) Herr Bauer / unzufrieden sein / weil / anstrengende Arbeit haben
c) Eva / zufrieden sein / obwohl / wenig Freizeit haben
d) Hans / nicht studieren können / wenn / schlechtes Zeugnis bekommen
e) Herbert / arbeitslos sein / weil / Unfall haben (*hatte*)
f) Ich / die Stelle nehmen / wenn / nicht nachts arbeiten müssen

10. Was passt?

Gymnasium	Grundschule	Bewerbung	Zeugnis
mindestens	Semester	Lehre	beginnen	Nachteil

a) studieren : Studium / Beruf lernen : _____
b) Schule : Schuljahr / Studium : _____
c) nicht mehr als : höchstens / nicht weniger als : _____
d) Examen : Universität / Abitur : _____
e) gut : Vorteil / schlecht : _____
f) Universität : Diplom / Schule : _____
g) nicht wissen : Frage / keine Stelle : _____
h) Ende : aufhören / Anfang : _____
i) unter 6 Jahren : Kindergarten / ab 6 Jahren : _____

11. Welcher Satz hat eine ähnliche Bedeutung?

a) *Vera findet keine Stelle.*
   A Vera findet keine Stelle gut.
   B Vera sucht eine Stelle, aber es gibt keine.
   C Vera hat ihre Stelle verloren.

b) *Ihr macht das Studium wenig Spaß.*
   A Sie studiert nicht gerne.
   B Sie möchte lieber studieren.
   C Sie findet ihr Studium interessant.

c) *Ich bekomme bestimmt eine Stelle.*
   Ich sehe da kein Problem.
   A Ich schaffe es bestimmt. Ich finde eine Stelle.
   B Es gibt nur wenig Stellen. Ich habe bestimmt keine großen Chancen.
   C Vielleicht habe ich ja Glück und finde eine Stelle.

d) *Was soll ich machen? Hast du eine Idee?*
   A Kannst du mir den Weg erklären?
   B Kannst du mir einen Rat geben?
   C Kennst du die richtige Antwort?

12. Was passt?

Nach Übung

15

im Kursbuch

sonst	trotzdem	dann	aber	denn	deshalb	und

a) Für Akademiker gibt es wenig Stellen. _____ haben viele Studenten Zukunftsangst.

b) Die Studenten wissen das natürlich, _____ die meisten sind nicht optimistisch.

c) Man muss einfach besser sein, _____ findet man bestimmt eine Stelle.

d) Du musst zuerst das Abitur machen. _____ kannst du nicht studieren.

e) Ihr macht das Studium keinen Spaß. _____ studiert sie weiter.

f) Sie hat viele Bewerbungen geschrieben. _____ sie hat keine Stelle gefunden.

g) Sie lebt noch bei ihren Eltern, _____ eine Wohnung kann sie nicht bezahlen.

h) Auch an der Uni muss man kämpfen, _____ hat man keine Chancen.

i) Wenn sie nicht bald eine Stelle findet, _____ möchte sie wieder studieren.

j) Den Job im Kindergarten findet sie interessant, _____ sie möchte lieber als Psychologin arbeiten.

k) Ihre Doktorarbeit war sehr gut. _____ hat sie noch keine Stelle gefunden.

Ihre Grammatik. Ergänzen Sie mit den Sätzen a) bis g).

	Junktor	Vorfeld	Verb₁	Subjekt	Erg.	Ang.	Ergänzung	Verb₂
a)		Für Akademiker	gibt	es			wenig Stellen	
	Deshalb		haben	viele Studenten			Zukunftsangst.	
b)		Die Studenten						
c)								
d)								
e)								
f)								
g)								

Lektion 2

Nach Übung

15

im Kursbuch

13. Sie können es auch anders sagen.

so   *oder*   *so*

a) Die Studenten kennen ihre schlechten Berufschancen. Trotzdem studieren sie weiter.

    Die Studenten studieren weiter, obwohl sie ihre schlechten Berufschancen kennen.

b) Obwohl Vera schon 27 Jahre alt ist, wohnt sie immer noch bei den Eltern.

    Vera ist schon 27 Jahre alt. Trotzdem …

c) Manfred will nicht mehr zur Schule gehen. Trotzdem soll er den Realschulabschluss machen.
d) Jens will Englisch lernen, obwohl er schon zwei Fremdsprachen kann.
e) Eva sollte Lehrerin werden. Trotzdem ist sie Krankenschwester geworden.
f) Ein Doktortitel hilft bei der Stellensuche wenig. Trotzdem schreibt Vera eine Doktorarbeit.
g) Obwohl es zu wenig Stellen für Akademiker gibt, hat Konrad Dehler keine Zukunftsangst.
h) Bernhard hat das Abitur gemacht. Trotzdem möchte er lieber einen Beruf lernen.
i) Doris möchte keinen anderen Beruf, obwohl sie sehr schlechte Arbeitszeiten hat.

Nach Übung

15

im Kursbuch

14. Sie können es auch anders sagen. Bilden Sie Sätze mit „weil", „denn" oder „deshalb".

a) Thomas möchte nicht mehr zur Schule gehen, denn er möchte lieber einen Beruf lernen.

    Thomas möchte nicht mehr zur Schule gehen, weil er lieber einen Beruf lernen möchte.
    Thomas möchte lieber einen Beruf lernen. Deshalb möchte er nicht mehr zur Schule gehen.

b) Jens findet seine Stelle nicht gut, weil er zu wenig Freizeit hat.

    Jens findet seine Stelle nicht gut, denn …
    Jens hat zu wenig Freizeit …

c) Herr Köster kann nicht arbeiten, denn er hatte gestern einen Unfall.
d) Manfred soll noch ein Jahr zur Schule gehen, denn er hat keine Stelle gefunden.
e) Vera wohnt noch bei ihren Eltern, weil sie nur wenig Geld verdient.
f) Kerstin kann nicht studieren, denn sie hat nur die Hauptschule besucht.
g) Conny macht das Studium wenig Spaß, weil es an der Uni eine harte Konkurrenz gibt.
h) Simon mag seinen Beruf nicht, weil er eigentlich Automechaniker werden wollte.
i) Herr Bender möchte weniger arbeiten, denn er hat zu wenig Zeit für seine Familie.

Nach Übung

15

im Kursbuch

15. Ist das Vorfeld noch frei? Ergänzen Sie die Sätze mit dem Subjekt!

a) Armin hat viel Freizeit. Trotzdem ——— ist *er* unzufrieden.
b) Brigitte verdient gut. Aber *sie* ist ——— unzufrieden.
c) Dieter lernt sehr viel. Trotzdem _____ hat _____ ein schlechtes Zeugnis.
d) Inge spricht sehr gut Englisch, denn _____ hat _____ zwei Jahre in England gelebt.
e) Waltraud mag Tiere. Deshalb _____ will _____ Tierärztin werden.

f) Klaus will Politiker werden. Dann _____ ist _____ oft im Fernsehen.

g) Renate ist in der zwölften Klasse. Also _____ macht _____ nächstes Jahr das Abitur.

h) Paul hat einen anstrengenden Beruf. Aber _____ verdient _____ viel Geld.

i) Petra geht doch weiter zur Schule, denn _____ hat _____ keine Lehrstelle gefunden.

j) Utas Vater ist Lehrer. Deshalb _____ wird _____ auch Lehrerin.

k) Klaus hat morgen Geburtstag. Dann _____ ist _____ 21 Jahre alt.

16. Ergänzen Sie die Stellenanzeige.

Nach Übung

16

im Kursbuch

Wir sind ein groß_____ Unternehmen der deutsche_____ Textilindustrie. Wir machen attraktiv_____ Mode für jung_____ Leute und verkaufen sie in eigen_____ Geschäften. Für unser neu_____ Modekaufhaus in Rostock suchen wir

eine neu_____ Chefin oder einen neu_____ Chef.

Er oder sie sollte zwischen 35 und 45 Jahren alt sein, schon alleine ein groß_____ Textilgeschäft geleitet haben und gerne mit jung_____ Leuten zusammenarbeiten. Wir bieten Ihnen einen interessant_____ Arbeitsplatz, ein gut_____ Gehalt und eine sicher_____ beruflich_____ Zukunft in einem modern_____ Betrieb.

17. Schreiben Sie das Datum.

Nach Übung

18

im Kursbuch

a) ○ Welches Datum haben wir heute?

(12. Mai)
□ *Heute ist der zwölfte Mai.*
(28. Februar)
□ _____
(1. April)
□ _____
(3. August)
□ _____

b) ○ Wann sind Sie geboren?

(7. April)
□ *Am siebten April.*
(17. Oktober)
□ _____
(11. Januar)
□ _____
(31. März)
□ _____

c) ○ Ist heute der fünfte September?

(3. September)
□ *Nein, wir haben heute den dritten.*
(4. September)
□ _____
(7. September)
□ _____
(8. September)
□ _____

d) ○ Wann war Carola in Spanien?

(4. April – 8. März)
□ *Vom vierten April bis zum achten März.*
(23. Januar – 10. September)
□ _____
(14. Februar – 1. Juli)
□ _____
(7. April – 2. Mai)
□ _____

Lektion 2

18. Schreiben Sie einen Dialog.

Maurer.

Ja, ja, ich weiß. Aber findest du das wichtiger als eine gute Stelle? …

Hallo Petra, hier ist Anke.

Das ist doch nicht schlimm. Dann musst du nur ein bisschen früher aufstehen.

Ja, drei Angebote. Am interessantesten finde ich eine Firma in Offenbach.

Aber du weißt doch, ich schlafe morgens gern lange.

Und? Erzähl mal!

Da kann ich Chefsekretärin werden. Die Kollegen sind nett und das Gehalt ist auch ganz gut.

Und was machst du? Nimmst du die Stelle?

Na, wie geht's? Hast du schon eine neue Stelle?

Ich weiß noch nicht. Nach Offenbach sind es 35 Kilometer. Das ist ziemlich weit.

Hallo Anke!

○ _Maurer._
□ _Hallo Petra, hier ist Anke._
○ …

19. Was passt?

| Betrieb | anfangen | Inland | ausgezeichnet | auf jeden Fall | Kantine | lösen |
| Import | Hauptsache | Rente | Monate | dringend | Student | arbeitslos |

a) Schule : Schüler / Studium : _____

b) studieren : Universität / arbeiten : _____

c) zu Hause : Esszimmer / Betrieb : _____

d) in einem fremden Land : im Ausland / im eigenen Land : im _____

e) Zeugnisnote 6 : sehr schlecht / Zeugnisnote 1 : _____

f) Frage : beantworten / Problem : _____

g) arbeiten : berufstätig / ohne Arbeit : _____

h) jung und arbeiten : Gehalt / alt und nicht arbeiten : _____

i) ins Ausland verkaufen : Export / im Ausland kaufen : _____

j) unwichtig : Nebensache / wichtig : _____

k) nein : auf keinen Fall / ja : _____

l) unwichtig : nicht schnell, nicht sofort / wichtig : _____

m) Ende : aufhören / Anfang : _____

n) Montag, Freitag, Mittwoch : Tage / April, Juni, Mai : _____

Lektion 2

20. Welches Wort passt?

Nach Übung
21
im Kursbuch

Zeugnis	Gehalt	Termin	Kunde	Religion	bewerben

a) Geld, verdienen, jeden Monat, arbeiten: _____
b) Geschäft, einkaufen, bezahlen: _____
c) Uhrzeit, Datum, Ort, treffen: _____
d) Stelle suchen, arbeiten wollen, Zeugnis, Gespräch: _____
e) Kirche, Gott, glauben: _____
f) Papier, Schule, Note, gut, schlecht: _____

21. Ergänzen Sie.

Nach Übung
21
im Kursbuch

versprechen	gehen	aussuchen	bestimmen	machen	besuchen	schaffen

a) Petra _____ die Arbeit keinen Spaß mehr, deshalb sucht sie eine neue Stelle.
b) Bernd soll eigentlich Bankkaufmann werden. Aber er will das nicht, er möchte seinen Beruf
   selbst _____ .
c) Kurt muss noch ein Jahr zur Schule _____ , dann ist er fertig.
d) In Deutschland müssen Kinder zwischen 6 und 10 Jahren die Grundschule _____ .
e) ○ Mama, welchen Pullover darf ich mir kaufen?
   □ Das ist mir egal. Du kannst dir einen _____ .
f) Horst ist sehr glücklich. Er hat sein Examen _____ .
g) ○ Kann ich nächste Woche drei Tage Urlaub bekommen? □ Meinetwegen ja, aber ich
   kann es Ihnen nicht _____ . Ich muss vorher den Chef fragen.

22. Was passt am besten?

Nach Übung
21
im Kursbuch

sprechen	verdienen	korrigieren	schreiben	anbieten	kennen
	werden	lesen	hören	dauern	studieren

a) Geld: _____
b) eine Fremdsprache, Englisch, sehr laut: _____
c) einen Brief, einen Text, ein Buch, mit der Schreibmaschine: _____
d) Medizin, Chemie, Deutsch: _____
e) einen Fehler, einen Brief, einen Text: _____
f) Frau Ulfers, das Buch, den Weg: _____
g) Radio, Musik, eine Kassette: _____
h) der Frau einen Platz, dem Kollegen eine Tasse Kaffee, dem Gast ein Stück Kuchen:
   _____
i) Arzt, Maurer, Lehrer, Sekretärin: _____
j) eine Stunde, fünf Minuten, ein Jahr: _____
k) ein Buch, eine Zeitung, einen Brief, den Vertrag: _____

Lektion 3

Wortschatz

Verben

ärgern 39
aufregen 39
auspacken 43
ausruhen 43
benutzen 42
beschweren 43
bitten 40

erzählen 43
freuen 39
geschehen 36
interessieren 39
küssen 41
lachen 43
legen 40

leihen 40
malen 43
nützen 44
raten 40
reden 44
sammeln 43
singen 36

spielen 36
stören 45
tanzen 43
verbieten 40
vergessen 43
vergleichen 37
weinen 43

Nomen

r Ausgang, ⁻e 45
r Bart, ⁻e 43
r Baum, ⁻e 41
r Bericht, -e 36
s Bild, -er 36
e Ecke, -n 41
r Eingang, ⁻e 44
r Fall, ⁻e 36
r Finger, - 43
e Freizeit 43
r Fußball 36
r Gedanke, -n 42
e Gefahr, -en 38
e Gesundheit 36
r Gewinn, -e 36
r Glückwunsch, ⁻e 39
r Gott, ⁻er 36
r Gruß, ⁻e 44
r Hammer, ⁻ 36

r Himmel 41
r Hut, ⁻e 41
e Illustrierte, -n 36
r Kasten, ⁻ 40
s Kaufhaus, ⁻er 45
r Kompromiss, -e 40
s Konzert, -e 36
r Krach 43
e Kultur 36
e Kunst 39
r Laden, ⁻ 44
e Landschaft, -en 36
r Lautsprecher, - 44
s Lied, -er 40
e Literatur 39
r Maler, - 43
s Material, -ien 38

e Medizin 36
e Minute, -n 43
r Mond, -e 41
e Musik 39
e Nachricht, -en 36
s Orchester, - 36
e Ordnung 44
r Passagier, -e 38
r Pfennig, -e 43
r Pilot, -en 38
r Plan, ⁻e 38
r Platz, ⁻e 43
e Qualität, -en 45
s Radio, -s 40
e Sache, -n 43
r Schatten, - 42
r Schauspieler,- 43
e Sendung, -en 36

r Sinn 41
e Spezialität, -en 44
r Sport 36
r Stein, -e 38
e Technik 39
s Telegramm, -e 36
s Theater, - 43
s Tier, -e 36
e Uhrzeit, -en 37
e Unterhaltung, -en 36
e Vorstellung, -en 43
e Werbung 36
e Wissenschaft, -en 39
s Wochenende, -n 45
r Zahn, ⁻e 36
r Zuschauer, - 43

Adjektive

europäisch 36
fein 41
feucht 43
gewöhnlich 43

günstig 43
herzlich 39
möglich 44
öffentlich 44

fantastisch 43
regelmäßig 43
reich 38
schwierig 36

tot 38
verboten 43
weit 42

Adverbien und Funktionswörter

abends 39
besonders 39
einige 40
extra 36

genauso 45
kaum 44
leider 43
nachts 39

so etwas 43
solch- 43
überhaupt nicht 41
viele 55

vielleicht 43
wenigstens 38
zuletzt 36

Grammatik

Reflexive Verben (§ 10)

Mit Reflexivpronomen im Akkusativ:

Ich	interessiere	mich	für Tierfilme.	
Du	ärgerst	dich	sicher über dieses Programm.	
Sie	freuen	sich	doch auch auf das Spiel, oder?	
Er	freut	sich	über seinen neuen Fernseher.	
Sie	regt	sich	über das Programm vom Sonntag	auf.
Wir	beschweren	uns	nicht über den Moderator.	
Ihr	stellt	euch	immer vor den Fernseher!	
Sie	beschweren	sich	ja über jedes Programm!	

Mit Reflexivpronomen im Dativ:

Ich	höre	mir	diese alten Lieder nicht mehr	an.	
Du	kaufst	dir	immer nur praktische Dinge!		
Sie	hören	sich	Ihre alten Jazzplatten nicht oft	an,	nicht wahr?
Er	kauft	sich	gerne alte Bücher.		

Präpositionalpronomen (§ 12)

auf	auf wen?	auf Sabine	auf sie	worauf?	auf die Pause	darauf
für	für wen?	für Frau Manz	für sie	wofür?	für das Fernsehen	dafür
mit	mit wem?	mit Kurt	mit ihm	womit?	mit dem Werkzeug	damit
über	über wen?	über alle	über uns	worüber?	über die Sendung	darüber

Konjunktiv II (§ 20)

ich	würde	...	lernen	dürfte	sollte	müsste
du	würdest	...	lernen	dürftest	solltest	müsstest
Sie	würden	...	lernen	dürften	sollten	müssten
er / sie / es	würde	...	lernen	dürfte	sollte	müsste
wir	würden	...	lernen	dürften	sollten	müssten
ihr	würdet	...	lernen	dürftet	solltet	müsstet
Sie	würden	...	lernen	dürften	sollten	müssten
sie	würden	...	lernen	dürften	sollten	müssten

ich	wäre	hätte	wollte	könnte
du	wärest	hättest	wolltest	könntest
Sie	wären	hätten	wollten	könnten
er / sie / es	wäre	hätte	wollte	könnte
wir	wären	hätten	wollten	könnten
ihr	wäret	hättet	wolltet	könntet
Sie	wären	hätten	wollten	könnten
sie	wären	hätten	wollten	könnten

Lektion 3

Nach Übung

5

im Kursbuch

1. Wo passen die Wörter am besten?

a) Theater, Musik, Kunst, Museum, Literatur, Bilder: _____

b) Show, Film, Musik, Spiel, lustig, macht Spaß: _____

c) Zeitung (Anzeige), Fernsehen, Industrie, Produkt verkaufen: _____

d) Arzt, Medikament, krank, Apotheke, Gesundheit: _____

e) Spiel, Geld, Glück, Preis: _____

f) Kirche, glauben, Religion: _____

g) Musik machen, Gruppe, Konzert: _____

h) Nachrichten, Wetter, politisches Magazin, Reportage, Illustrierte: _____

i) fliegen, Flugzeug: _____

j) Fußball, Musik, Klavier, Karten: _____

Unterhaltung
Orchester
Werbung
Gewinn
Medizin
Information
spielen
Kultur
Gott Pilot

Nach Übung

5

im Kursbuch

2. „-film", „-programm", „-sendung" oder „Unterhaltungs-"? Was passt?

_____

-musik	Spiel-
-sendung	Kinder-
-orchester	Kriminal-
-programm	Tier-
-film	Kurz-

Nachmittags-	_____
Kultur-	
Unterhaltungs-	
Musik-	
Sport-	

Nach Übung

5

im Kursbuch

3. Was passt nicht?

a) Uhrzeit – Vormittag – Abend – Morgen – Nachmittag – Nacht – Mittag

b) Brief – Karte – Telefon – Telegramm

c) Frühstück – Mittagessen – Nachmittagsprogramm – Abendessen

d) Katze – Fisch – Tier – Hund – Schwein – Huhn

e) Zahnarzt – Tierarzt – Augenarzt – Hautarzt – Frauenarzt

f) zuerst – dann – zum Schluss – danach – zu spät

g) Pilot – Flugzeug – Passagier – Flughafen – Auto

h) tot – schwer – schwierig – nicht leicht

i) los sein – geschehen – vergleichen – passieren

Nach Übung

5

im Kursbuch

4. Beschreiben Sie den Film. Verwenden Sie die Wörter im Kasten.

Flugzeug	fliegen	Los Angeles
Chicago	Stewardess	Fischgericht
kurze Zeit	Pilot	Passagiere krank
Ted Striker	ehemaliger Vietnam-Pilot
noch nie	Jumbo	geflogen
Bodenstation	Anweisungen

Die unglaubliche Reise in einem verrückten Flugzeug.

Ein Flugzeug

_____

...

5. Ergänzen Sie.

Nach Übung

7

im Kursbuch

a) ○ Kommt, Kinder, wir müssen jetzt gehen.
   □ Eine halbe Stunde noch, bitte, der Film fängt gleich an. _____ freuen _____ doch immer so auf das Kinderprogramm.
b) ○ Warum macht ihr nicht den Fernseher aus? Interessiert _____ _____ denn wirklich für das Gesundheitsmagazin?
   □ Oh ja. Es ist immer sehr interessant.
c) ○ Du, ärgere _____ doch nicht über den Film!
   □ Ach, _____ habe _____ sehr auf den Kriminalfilm gefreut und jetzt ist er so schlecht.
d) ○ Warum sind Klaus und Jochen denn nicht gekommen?
   □ Sie sehen den Ski-Weltcup im Fernsehen. Ihr wisst doch, _____ interessieren _____ sehr für den Ski-Sport.
e) ○ Was macht Marianne?
   □ Sie sieht das Deutschland-Magazin. _____ interessiert _____ doch für Politik.
f) ○ Will dein Mann nicht mitkommen?
   □ Nein, er möchte unbedingt fernsehen. _____ freut _____ schon seit gestern auf den Spielfilm im 2. Programm.
g) ○ Siehst du jeden Tag die Nachrichten?
   □ Natürlich, man muss _____ doch für Politik interessieren.

6. Ergänzen Sie.

Nach Übung

7

im Kursbuch

Die Verben im Kasten kennen Sie sicher schon. Sie können oder müssen mit einem Reflexivpronomen verwendet werden.

| vorstellen | bewerben | anziehen | duschen | stellen | setzen |
| entscheiden | | waschen | | legen | |

a) Hier sind deine Kleider. _____ kannst _____ selbst _____, du bist alt genug.
b) ○ Willst du baden?
   □ Nein, _____ möchte _____ lieber _____. Das geht schneller.
c) ○ Kauft ihr das Haus?
   □ Wir wissen es noch nicht, _____ können _____ nicht _____.
d) Susanne war sehr müde. _____ hat _____ aufs Sofa _____ und schläft ein bisschen. Bitte störe sie nicht!
e) _____ _____ _____ doch, Frau Lorenz! Der Platz hier ist frei.
f) Ich möchte ein Familienfoto machen. Bitte _____ _____ alle vor die Haustür.
g) Die neuen Nachbarn kenne ich noch nicht. _____ haben _____ noch nicht _____.
h) Bitte geht ins Bad, Kinder. _____ müsst _____ noch _____ und die Zähne putzen.
i) Bettina hat _____ bei zehn Firmen _____, aber sie hat keine Stelle bekommen.

Lektion 3

Nach Übung

7

im Kursbuch

7. Ihre Grammatik. Ergänzen Sie.

ich	du	er	sie	es	man	wir	ihr	sie	Sie
mich									

Nach Übung

7

im Kursbuch

8. Verben und Präpositionen.

Die Verben kennen Sie schon. Sie werden oft mit den folgenden Präpositionen gebraucht.

aufpassen	auf
freuen	
warten	

anrufen	bei
bewerben	
arbeiten	
informieren	
entschuldigen	

diskutieren	über
erzählen	
freuen	
lachen	
nachdenken	
schreiben	
weinen	

denken	an
glauben	

spielen	mit
telefonieren	
sprechen	
vergleichen	
einverstanden sein	
aufhören	

wissen	
ärgern	
beschweren	
aufregen	
sprechen	
informieren	

fragen	nach
suchen	

interessieren	für
brauchen	
entschuldigen	

Ergänzen Sie.

a) Ich kann mich nicht entscheiden. Ich muss _____ d _____ Sache noch einmal nach-denken.

b) Er sah wirklich komisch aus. Alle haben _____ _____ gelacht.

c) Ich komme in zwei Stunden wieder. Kannst du bitte _____ d _____ Kinder aufpassen?

d) Franz arbeitet schon zehn Jahre _____ d _____ gleichen Firma.

e) Ich habe gestern _____ d _____ Arzt gesprochen. Herbert ist bald wieder gesund.

f) Wenn Sie etwas _____ d _____ Fall wissen, müssen Sie es der Polizei erzählen.

g) Ich bin _____ d _____ Vertrag einverstanden. Er ist in Ordnung.

h) Was hat er dir _____ d _____ Unfall erzählt?

i) _____ d _____ Problem hat er mit mir nicht gesprochen.

j) Ich habe meine Kamera _____ d _____ Kamera von Klaus verglichen. Seine ist wirk-lich besser.

k) Sie hat nie Zeit. Sie interessiert sich nur _____ ihr _____ Beruf.

l) Bitte hör _____ d _____ Arbeit auf. Das Essen ist fertig.

9. Ihre Grammatik. Ergänzen Sie.

Nach Übung

7

im Kursbuch

	der Film	die Musik	das Programm	die Sendungen	
über	*den Film*				sprechen
sich über					ärgern
sich auf					freuen
sich für					interessieren

	der Plan	die Meinung	das Geschenk	die Antworten	
nach	*dem Plan*				fragen
mit					einverstanden sein

10. Ergänzen Sie.

Nach Übung

7

im Kursbuch

Sachen

wofür?	→ für…	→ dafür	womit?	→ mit…	→ damit
worauf?	→ auf…	→ darauf	worüber?	→ über…	→ darüber

a) ○ Was machst du denn für ein Gesicht? ___*Worüber*___ ärgerst du dich?
   □ Ach, _____ mein Auto. Es ist schon wieder kaputt.
   ○ _____ musst du dich nicht ärgern. Du kannst meins nehmen.
b) ○ _____ regst du dich so auf?
   □ _____ meine Arbeitszeit. Ich muss schon wieder am Wochenende arbeiten.
   ○ Warum regst du dich _____ auf? Such dir doch eine andere Stelle.
c) ○ _____ interessierst du dich im Fernsehen am meisten?
   □ _____ Sport.
   ○ _____ interessiere ich mich nicht. Das finde ich langweilig.
d) ○ _____ bist du nicht einverstanden?
   □ _____ deinem Plan.
   ○ _____ sind aber alle einverstanden, nur du nicht.
e) ○ _____ freust du dich am meisten?
   □ _____ unseren nächsten Urlaub.
   ○ _____ freue ich mich auch.
f) ○ _____ wartest du?
   □ _____ einen Anruf.
   ○ _____ kannst du noch lange warten. Das Telefon ist kaputt.

Lektion 3

Nach Übung

7

im Kursbuch

11. Ergänzen Sie.

Personen

mit wem? → mit… → mit *ihm, ihr,…*	auf wen? → auf… → auf *ihn, sie,…*
für wen? → für… → für *ihn, sie,…*	über wen? → über… → über *ihn, sie,…*

a) ○ ___Mit___ ___wem___ hast du telefoniert?
   □ _____ Frau Burger.
   ○ Warum hast du mir das nicht gesagt?
   Ich wollte auch _____ _____ sprechen.

b) ○ _____ _____ brauchst du das Geschenk?
   □ _____ Paula und Bernd. Sie heiraten am Freitag.
   ○ Mensch, das habe ich ganz vergessen. Ich brauche auch noch ein Geschenk _____
   _____ .

c) ○ _____ _____ spielst du am liebsten?
   □ _____ Doris.
   ○ _____ _____ spiele ich auch sehr gerne. Sie ist eine gute Spielerin.

d) ○ _____ _____ ärgerst du dich so?
   □ _____ dich.
   ○ _____ _____ ? Warum?
   □ Du hast nicht eingekauft, obwohl du es versprochen hast.

e) ○ _____ _____ wartest du?
   □ _____ Konrad. Er wollte um 4 Uhr bei mir sein.
   ○ Das ist typisch, _____ _____ muss man immer warten. Er ist nie pünktlich.

Nach Übung

7

im Kursbuch

12. Ihre Grammatik. Ergänzen Sie.

Präposition + Artikel + Nomen Präposition + Name/Person	Fragewort	Pronomen
über den Film (sprechen) über Marion	*worüber?* *über wen?*	*darüber* *über sie*
auf die Sendung (warten) auf Frau Oller		
für die Schule (brauchen) für meinen Sohn		
nach dem Weg (fragen) nach Thomas		
mit dem Ball (spielen) mit dem Kind		

13. Ihre Grammatik. Ergänzen Sie.

Nach Übung

7

im Kursbuch

a) Wofür interessiert Bettina sich am meisten?
b) Bettina interessiert sich am meisten für Sport.
c) Für Sport interessiert Bettina sich am meisten.
d) Am meisten interessiert Bettina sich für Sport.
e) Für Sport hat Bettina sich am meisten interessiert.

	Vorfeld	Verb$_1$	Subjekt	Ergänzung	Angabe	Ergänzung	Verb$_2$
a)	Wofür	interessiert	Bettina	sich	am meisten?		
b)							
c)							
d)							
e)							

14. Sie ist nie zufrieden.

Nach Übung

11

im Kursbuch

a) Sie macht jedes Jahr acht Wochen Urlaub, aber *sie würde gern noch mehr Urlaub machen.*

b) Sie hat zwei Autos, aber *sie hätte gern ...*

c) Sie ist schlank, aber *sie wäre gern ...*

d) Sie sieht jeden Tag vier Stunden fern, aber…
e) Sie verdient sehr gut, aber…
f) Sie hat drei Hunde, aber…
g) Sie schläft jeden Tag zehn Stunden, aber…
h) Sie ist sehr attraktiv, aber…
i) Sie sieht sehr gut aus, aber…
j) Sie spricht vier Sprachen, aber…
k) Sie hat viele Kleider, aber…
l) Sie ist sehr reich, aber…
m) Sie kennt viele Leute, aber…
n) Sie fährt oft Ski, aber…
o) Sie geht oft einkaufen, aber…
p) Sie weiß sehr viel über Musik, aber…

Lektion 3

15. Was würden Sie raten?

a) Er ist immer sehr nervös. (weniger arbeiten)
   Es wäre gut, wenn er
   weniger arbeiten würde.

b) Ich bin zu dick. (weniger essen)

c) Petra ist immer erkältet. (wärmere Kleidung tragen)

d) Sie kommen immer zu spät zur Arbeit. (früher aufstehen)

e) Mein Auto ist oft kaputt. (ein neues Auto kaufen)

f) Meine Miete ist zu teuer. (eine andere Wohnung suchen)

g) Ich bin zu unsportlich. (jeden Tag 30 Minuten laufen)

h) Seine Arbeit ist so langweilig. (eine andere Stelle suchen)

i) Wir haben so wenig Freunde. (netter sein)

16. Ihre Grammatik. Ergänzen Sie.

	ich	du	er/sie/ es/man	wir	ihr	sie	Sie
Indikativ	*gehe*	*gehst*					
Konjunktiv	*würde gehen*	*würdest gehen*					
Indikativ	*bin*						
Konjunktiv	*wäre*						
Indikativ	*habe*						
Konjunktiv	*hätte*						

17. Was passt nicht?

a) schwer – schlimm – schlecht – wichtig

b) zufrieden sein – sauber sein – Lust haben – Spaß machen

c) Politiker – Lehrerin – Firma – Verkäufer – Arzt – Schauspielerin – Polizist – Sekretärin – Schüler – Beamter

d) Studium – Universität – Student – Schule – studieren

e) leicht – aber – denn – deshalb – trotzdem

18. Was passt?

Nach Übung

14

im Kursbuch

Kompromiss	Material	raten	Himmel	Literatur	Kunst

singen   Hut

Gedanke   Schatten   Glückwunsch   Radio   Mond   sich ärgern

a) hören : Musik / lesen : _____
b) wahr : Wissenschaft / schön : _____
c) lustig sein : sich freuen / böse sein : _____
d) hell : Sonne / dunkel : _____
e) Fuß : Schuhe / Kopf : _____
f) unten : Erde / oben : _____
g) Weihnachten : Fröhliche Weihnachten / Geburtstag : Herzlichen

_____
h) keiner zufrieden : Streit / alle zufrieden : _____
i) Herz : Gefühl / Kopf : _____
j) Hammer : Werkzeug / Holz : _____
k) tun : helfen / vorschlagen : _____
l) am Tag : Sonne / in der Nacht : _____
m) Klaviermusik : spielen / Lied : _____
n) sehen und hören : Fernsehen / nur hören : _____

19. Was wissen Sie über Gabriela? Schreiben Sie einen kleinen Text.

Nach Übung

16

im Kursbuch

Sie können die folgenden Informationen verwenden.

Gabriela, 20, Straßenpantomimin
zieht von Stadt zu Stadt, spielt auf Plätzen und Straßen
Leute mögen ihr Spiel, nur wenige regen sich auf
sammelt Geld bei den Leuten, verdient ganz gut, muss regelmäßig spielen
früher mit Helmut zusammen, auch Straßenkünstler, ihr hat das freie Leben gefallen
für Helmut Geld gesammelt, auch selbst getanzt
nach einem Krach Schnellkurs für Pantomimen gemacht
findet ihr Leben unruhig, möchte keinen anderen Beruf

20. „Hat", „hatte", „hätte", „ist", „war", „wäre" oder „würde"? Ergänzen Sie.

Nach Übung

16

im Kursbuch

Gabriela _____(a) Straßenpantomimin. Natürlich _____(b) sie nicht
viel Geld, aber wenn sie einen anderen Beruf _____(c), dann
_____(d) sie nicht mehr so frei. Früher _____(e) sie zusammen mit
ihrem Freund gespielt. Sein Name _____(f) Helmut, und er _____(g)
ganz nett, aber sie _____(h) oft Streit. Manchmal _____(i) das Leben

Lektion 3

einfacher, wenn Helmut noch da _____(j). Im Moment _____(k)
Gabriela keinen Freund. Deshalb _____(l) sie oft allein, aber trotzdem
_____(m) sie nicht wieder mit Helmut zusammen spielen. „Wir
_____(n) doch nur wieder Streit", sagt sie. Gestern _____(o) Gabriela
in Hamburg gespielt. „Da _____(p) ein Mann zu mir gesagt: ‚Wenn Sie meine
Tochter _____(q), dann _____(r) ich Ihnen diesen Beruf verbieten'",
erzählt sie. Natürlich _____(s) Gabrielas Eltern auch glücklicher, wenn ihre Toch-
ter einen „richtigen" Beruf _____(t). Es _____(u) ihnen lieber, wenn
Gabriela zu Hause wohnen _____(v) oder einen Mann und Kinder
_____(w). Aber Gabriela _____(x) schon immer ihre eigenen Ideen.

Nach Übung

16

im Kursbuch

21. Was passt?

a) auf dem Kopf : Haare / im Gesicht : _____
b) Dollar : Cent / Mark : _____
c) wegfahren : Koffer packen / nach Hause kommen : Koffer _____
d) Museum : Ausstellung / Theater : _____
e) im Film spielen : Schauspieler / den Film sehen : _____
f) in der Arbeitszeit : arbeiten / in der Pause : _____
g) Fuß : Zehe / Hand : _____
h) Woche : Tage / Stunde : _____
i) ruhig : Ruhe / laut : _____
j) sich freuen : lachen / traurig sein : _____
k) Buch : schreiben / Bild : _____
l) Erdbeere : Pflanze / Apfel : _____

Nach Übung

16

im Kursbuch

22. Was passt?

nützen	Eingang/Ausgang	Ordnung	Qualität		Kaufhaus	feucht
öffentlich	Lautsprecher	Spezialität	möglich		regelmäßig	kaum

a) vielleicht, es könnte sein: _____
b) gut/schlecht machen, gute/schlechte Ware: _____
c) großes Geschäft, man kann alles kaufen: _____
d) hat nicht jeder, besonderes Produkt: _____
e) Haus, Geschäft, Tür, Tor: _____
f) Radio, Fernsehen, hören: _____
g) für alle, nicht privat: _____
h) jede Woche, jeden Tag, jeden Sonntag: _____
i) nicht ganz trocken: _____
j) gut für eine Person/eine Sache, Vorteile bringen: _____
k) sehr selten, fast nie: _____
l) alle Dinge haben einen festen Platz: _____

23. Was passt am besten?

Nach Übung

16

im Kursbuch

verbieten	sich ausruhen	gern haben
sich beschweren	legen	laut sein	leihen	lachen

a) ruhig sein – _____
b) nicht mögen – _____
c) gut finden – _____
d) stellen – _____

e) kaufen – _____
f) die Erlaubnis geben – _____
g) weinen – _____
h) arbeiten – _____

24. Ergänzen Sie die Modalverben im Konjunktiv („sollt-", „müsst-", „könnt-", „dürft-").

Nach Übung

18

im Kursbuch

a) Sonja ist erst 8 Jahre alt. Eigentlich _____ sie den Kriminalfilm nicht sehen, aber sie tut es trotzdem, weil ihre Eltern nicht zu Hause sind.

b) Wenn Manfred mit der Schule aufhören würde, dann _____ er sofort arbeiten und Geld verdienen.

c) Wenn Manfred den Schulabschluss machen möchte, dann _____ er noch ein Jahr zur Schule gehen.

d) „Du _____ unbedingt deinen Schulabschluss machen", hat seine Mutter ihm geraten.

e) Manfred _____ vielleicht sogar auf das Gymnasium gehen, wenn er den Real-schulabschluss machen würde.

f) Wenn Vera nicht bei ihren Eltern wohnen _____, dann hätte sie große Pro-bleme, weil sie dann eine eigene Wohnung mieten _____.

g) Anita möchte die Stelle in Offenbach nicht nehmen, weil sie dann jeden Tag 35 Kilometer zur Arbeit fahren _____.

h) Auf dem Rathausplatz in Hamburg _____ Gabriela eigentlich nicht spielen, aber sie tut es trotzdem.

25. Ihre Grammatik. Ergänzen Sie.

Nach Übung

18

im Kursbuch

	ich	du	er/sie/es/man	wir	ihr	sie	Sie
müssen	müsste						
dürfen							
können							
sollen							

Lektion 4

Wortschatz

Verben

abholen 50
abmelden 54
anmelden 54
arbeiten 53
ausgeben 56
bedienen 54
bekommen 55
beraten 54
bezahlen 55

brauchen 49
bringen 52
einkaufen 56
erklären 54
funktionieren 49
kaufen 55
kontrollieren 54
kosten 51
leisten 55

machen 51
passen 50
passieren 49
pflegen 54
prüfen 50
reichen 56
reparieren 51
schlafen 55
schneiden 52

sorgen 55
tanken 51
überzeugen 51
verbrauchen 49
verkaufen 53
verlieren 50
versuchen 50
warnen 55
wechseln 50

Nomen

s Abendessen, - 55
e Arbeit, -en 53
r Arbeiter, - 52
r Arbeitnehmer, -
  54
r Artikel, - 54
s Auto, -s 48
e Batterie, -n 54
s Benzin 48
e Bremse, -n 49
s Büro, -s 54
e Chance, -n 54
r Dank 50
r Diesel 54
r Donnerstag 50
e Eheleute (Plural)
  55
s Europa 54
r Freitag 50
s Gas 54

s Geld 55
e Geschwindigkeit,
  -en 48
s Gewicht 48
s Haus, ⸚er 55
r Haushalt 56
e Heizung 57
e Information, -en
  54
s Jahr, -e 48
e Kasse, -n 54
r Kilometer, - 48
r Kofferraum, ⸚e
  48
e Konkurrenz 54
r Kredit, -e 57
r Kunde, -n 54
e Lampe, -n 53
r Lastwagen, - 52
e Länge 48

r Liter, - 48
r Lohn, ⸚e 57
e Mark 51
e Maschine, -n 53
r Mechaniker, - 49
r Meister, - 54
r Motor, -en 48
s Öl 49
e Panne, -n 49
r Prospekt, -e 49
s Rad, ⸚er 52
r Reifen, - 49
e Reparatur, -en
  48
e Situation, -en 56
r Spiegel, - 49
e Steuer, -n 48
r Strom 57
e Summe, -n 57
e Tankstelle, -n 49

r Unfall, ⸚e 49
r Unterricht 54
r Urlaub 55
e Überweisung, -en
  57
r Verkäufer, - 49
r Verkehr 54
e Versicherung, -en
  48
e Verzeihung 51
r Vorname, -n 56
s Wasser 57
e Werkstatt, ⸚en 50
e Wohnung, -en 56
e Zeitschrift, -en
  54
r Zug, ⸚e 52
r Zuschlag, ⸚e 57

Adjektive

automatisch 52
bequem 49
billig 48
direkt 54
durchschnittlich 48
eigen 55

einfach 51
früh 52
geöffnet 54
hoch 48
kaputt 49
kompliziert 53

langsam 48
niedrig 48
normal 54
preiswert 48
schwach 48
technisch 54

teuer 48
verschieden 54
wahr 51

Adverbien

danach 52	montags 56	plus 55	zuerst 52
dienstags 56	morgen 50	vormittags 55	
links 50	nachmittags 55	vorne 50	

Funktionswörter

daraus 52	rund um 54	vor 55	wenig 48
pro 55	statt 51	was 49	wie viel 56

Ausdrücke

eine Frage stellen 56	Erfolg haben 54	frei haben 55	recht haben 51
	es geht 54	noch einmal 52	wie lange 56

Grammatik

Steigerung des Adjektivs (§ 7 und 8)

	klein	der	kleine	Wagen	der	schwache	Motor
	kleiner	der	kleinere	Wagen	der	schwächere	Motor
am	kleinsten	der	kleinste	Wagen	der	schwächste	Motor

Unregelmäßige Steigerungsformen: Themen neu 1, Kursbuch Seite 137!
Adjektivendungen: Seite 6!

Passiv (§ 21)

Man braucht mich.	Ich	werde	gebraucht.
Ich frage dich.	Du	wirst	gefragt.
Die Maschine schneidet das Blech.	Das Blech	wird	geschnitten.
Die Firma stellt uns ein.	Wir	werden	eingestellt.
Man bezahlt euch gut.	Ihr	werdet	gut bezahlt.
Arbeiter montieren die Lampen.	Die Lampen	werden	montiert.

	Vorfeld	Verb$_1$	Subj.	Angabe	Ergänzung	Verb$_2$
Aktiv:	Arbeiter (= Subjekt)	montieren			die Lampen. (= Akk.-Erg.)	
Passiv:	Die Lampen (= Subjekt)	werden		von Arbeitern		montiert.

Lektion 4

Nach Übung

1

im Kursbuch

1. Was passt wo?

Benzinverbrauch	Geschwindigkeit	Leistung	Kosten	Länge
Gewicht				Alter

a) Kilowatt, PS: _____

b) D-Mark: _____

c) Jahre: _____

d) Kilogramm, Gramm: _____

e) Meter, Zentimeter: _____

f) Kilometer in der Stunde: _____

g) Liter auf 100 Kilometer: _____

Nach Übung

1

im Kursbuch

2. Wie heißt das Gegenteil?

schwer	viel	preiswert/billig	niedrig/tief	schnell	stark	lang
		klein		leise		

a) langsam – _____

b) groß – _____

c) laut – _____

d) kurz – _____

e) hoch – _____

f) teuer – _____

g) wenig – _____

h) schwach – _____

i) leicht – _____

Nach Übung

2

im Kursbuch

3. Ergänzen Sie.

Der neu_____ Gaudi 26: Ihr Auto für die Zukunft!

Sein stärker_____ Motor, seine höher_____ Geschwindigkeit, sein grö-
ßer_____ Kofferraum (430 Liter), seine breiter_____ Türen, seine beque-
mer_____ Sitzplätze – das sind nur einige Argumente. Aber er hat nicht nur einen
stärker_____, sondern auch einen sauberer_____ Motor durch den
neu_____, besser_____ 3-Wege-Katalysator. Der niedriger_____ Benzinver-
brauch bedeutet auch: niedriger_____ Kosten. Der neu_____ Gaudi 26 gibt
Ihnen größer_____ Sicherheit durch Airbag, ABS und das Gaudi-Sicherheitssystem
R.E.U.S.
Gaudi 26 – die moderner_____ Technik –
Gaudi 26 – das besser_____ Auto!

4. Ihre Grammatik. Ergänzen Sie.

Nach Übung

3

im Kursbuch

	a)	b)
Nominativ	Das ist… …der _höchste_ Verbrauch. …die _höch___ Geschwindigkeit. …das _höch_ Gewicht. Das sind die _höch___ Kosten.	Das ist… …ein_niedriger_ Verbrauch. …eine _nied___ Geschwindigkeit. …ein _____ Gewicht. Das sind _____ Kosten.
Akkusativ	Dieser Wagen hat… …den _____ Verbrauch. …die _____ Geschwindigkeit. …das _____ Gewicht. …die _____ Kosten.	Dieser Wagen hat… …einen _____ Verbrauch. …eine _____ Geschwindigkeit. …ein _____ Gewicht. …_____ Kosten.
Dativ	Das ist der Wagen mit… …dem _____ Verbrauch. …der _____ Geschwindigkeit. …dem _____ Gewicht. …den _____ Kosten.	Es gibt einen Wagen mit… …einem _____ Verbrauch. …einer _____ Geschwindigkeit. …einem _____ Gewicht. …_____ Kosten.

5. „Wie" oder „als"? Ergänzen Sie.

Nach Übung

3

im Kursbuch

a) Den Corsa finde ich besser _____ den Renault.
b) Der Fiesta fährt fast so schnell _____ der Fiat.
c) Der Fiat hat einen genauso starken Motor _____ der Opel.
d) Der Fiesta verbraucht weniger Benzin _____ der Corsa.
e) Der Fiesta hat einen fast so großen Kofferraum _____ der Uno.
f) Es gibt keinen günstigeren Kleinwagen _____ den Uno.
g) Kennen Sie einen schnelleren Kleinwagen _____ den Renault Clio?
h) Der Renault kostet genauso viel Steuern _____ der Corsa.

6. Sagen Sie es anders.

Nach Übung

4

im Kursbuch

a) Man hat mir gesagt, das neue Auto verbraucht weniger Benzin. Aber das stimmt nicht.
Das neue Auto verbraucht mehr Benzin, als man mir gesagt hat.
b) Man hat mir gesagt, das neue Auto verbraucht weniger Benzin. Das stimmt wirklich.
Das neue Auto verbraucht genauso wenig Benzin, wie man mir gesagt hat.
c) Du hast gesagt, die Kosten für einen Renault sind sehr hoch. Du hattest Recht.
d) Der Autoverkäufer hat uns gesagt, der Motor ist erst 25 000 km gelaufen. Aber das ist falsch.
   Der Motor ist viel älter.
e) Im Prospekt steht, der Wagen fährt 150 km/h. Aber er fährt schneller.
f) In der Anzeige schreibt Renault, der Wagen fährt 155 km/h. Das stimmt.
g) Der Autoverkäufer hat mir erzählt, den Wagen gibt es nur mit einem 65-PS-Motor. Aber es
   gibt ihn auch mit einem schwächeren Motor.
h) Früher habe ich gemeint, Kleinwagen sind unbequem. Aber jetzt finde ich das nicht mehr.

Lektion 4

Nach Übung

6

im Kursbuch

7. Was passt nicht?

a) Auto: einsteigen, fahren, gehen, aussteigen.
b) Schiff: schwimmen, fließen, segeln, fahren.
c) Flugzeug: fahren, fliegen, einsteigen, steuern.
d) Spaziergang: gehen, wandern, laufen, fahren.
e) Fahrrad: fahren, klingeln, hinfallen, gehen.

Nach Übung

7

im Kursbuch

8. Ergänzen Sie.

> Batterie   Bremsen   Reifen   Spiegel   Panne   Lampe   Werkstatt
> Werkzeug   Unfall   Benzin

a) Wenn der Tank leer ist, braucht man _____.
b) Eine _____ ist kaputt, deshalb funktioniert das Fahrlicht nicht.
c) Ich kann die Bremsen nicht prüfen. Mir fehlt das richtige _____.
d) Ich kann hinter mir nichts sehen, der _____ ist kaputt.
e) Oh Gott! Ich kann nicht mehr anhalten! Die _____ funktionieren nicht.
f) Wir können nicht mehr weiterfahren; wir haben eine _____.
g) Der Wagen hat zu wenig Luft in den _____; das ist gefährlich.
h) Der Motor startet nicht. Vielleicht ist die _____ leer.
i) Jetzt ist mein Wagen schon seit drei Tagen in der _____ und er ist immer noch nicht fertig.
j) Die Tür vorne rechts ist kaputt, weil ich einen _____ hatte.

Nach Übung

7

im Kursbuch

9. Was kann man nicht sagen?

a) Ich muss meinen Wagen | *waschen.*
| *tanken.*
| *baden.*
| *abholen.*
| *parken.*

d) Ist der Wagen | *preiswert?*
| *blau?*
| *fertig?*
| *blond?*
| *neu?*

b) Der Tank ist | *kaputt.*
| *schwierig.*
| *leer.*
| *voll.*
| *groß.*

e) Das Auto | *verliert* | *Öl.*
| *braucht*
| *hat genug*
| *verbraucht*
| *nimmt*

c) Ich finde, der Motor läuft | *zu langsam.*
| *sehr gut.*
| *nicht richtig.*
| *zu schwierig.*
| *sehr laut.*

f) Mit diesem Auto
können Sie | *gut laufen.*
| *schnell fahren.*
| *gut parken.*

10. „Gehen" hat verschiedene Bedeutungen.

Nach Übung

9

im Kursbuch

A. Als Frau alleine Straßentheater machen – das *geht* doch nicht!
   (Das soll man nicht tun. Das ist nicht normal.)
B. Das Fahrlicht *geht* nicht.
   (Etwas ist kaputt oder funktioniert nicht.)
C. Können Sie bis morgen mein Auto reparieren? *Geht* das?
   (Ist das möglich?)
D. Wie *geht* es dir?
   (Bist du gesund und zufrieden? Hast du Probleme?)
E. Warum willst du mit dem Auto fahren? Wir können doch *gehen*.
   (zu Fuß gehen, laufen, nicht fahren)
F. Inge ist acht Jahre alt. Sie *geht* seit zwei Jahren zur Schule.
   (die Schule oder die Universität oder einen Kurs besuchen)
G. Wir *gehen* oft ins Theater. / Wir *gehen* jeden Mittwoch schwimmen.
   (zu einem anderen Ort gehen oder fahren und dort etwas tun)

Welche Bedeutung hat „gehen" in den folgenden Sätzen?

	1. Meiner Kollegin geht es heute nicht so gut. Sie hat Kopfschmerzen.
	2. Geht ihr heute Abend ins Kino?
	3. Kann ich heute bei dir fernsehen? Mein Gerät geht nicht.
	4. Wenn man Chemie studieren will, muss man 5 bis 6 Jahre zur Universität gehen.
	5. Geht das Radio wieder?
	6. Gaby trägt im Büro immer so kurze Röcke. Ich finde, das geht nicht.
	7. Ich gehe heute Nachmittag einkaufen.
	8. Warum gehst du denn so langsam?
	9. Wie lange gehst du schon in den Deutschkurs?
	10. Max trinkt immer meine Milch. Das geht doch nicht!
	11. Geht es Ihrer Mutter wieder besser?
	12. Ich möchte kurz mit Ihnen sprechen. Geht das?
	13. Ich gehe lieber zu Fuß. Das ist gesünder.
	14. Sie wollen mit dem Chef sprechen? Das geht leider nicht.

Lektion 4

11. Schreiben Sie einen Dialog.

Ja, da haben Sie Recht, Frau Becker. Na gut, wir versuchen es, vielleicht geht es ja heute doch noch.

Mein Name ist Becker. Ich möchte meinen Wagen bringen.

Nein, das ist alles. Wann kann ich das Auto abholen?

Morgen Nachmittag erst? Aber gestern am Telefon haben Sie mir doch gesagt, Sie können es heute noch reparieren.

Das interessiert mich nicht. Sie haben es versprochen!

Morgen Nachmittag.

Die Bremsen ziehen immer nach rechts, und der Motor braucht zu viel Benzin.

Es tut mir leid, Frau Becker, aber wir haben so viel zu tun. Das habe ich gestern nicht gewusst.

Noch etwas?

Ach ja, Frau Becker. Sie haben gestern angerufen. Was ist denn kaputt?

○ _Mein Name ist Becker. Ich möchte meinen Wagen bringen._

□ _____

○ ...

12. Was passt wo? (Einige Wörter passen zu mehr als zu einem Verb.)

Pullover   Kuchen   ~~Wagen~~   Brief   Benzin   Brille   ~~Öl~~

Brot   Haare   Auto

Hände   Führerschein   Bart   Geld   Kind

Wurst   ~~Blech~~   Gemüse   Hemd   Papier   Hals   Fleisch

verlieren	schneiden	waschen
_Öl_	_Blech_	_Wagen_

46   sechsundvierzig

13. Arbeiten in einer Autowerkstatt. Was passiert hier? Schreiben Sie.

Nach Übung

11

im Kursbuch

| Radio montieren   Bremsen prüfen   reparieren   waschen   arbeiten   tanken |
| sauber machen   Rechnung bezahlen   schweißen   Öl prüfen   wechseln   ~~abholen~~ |

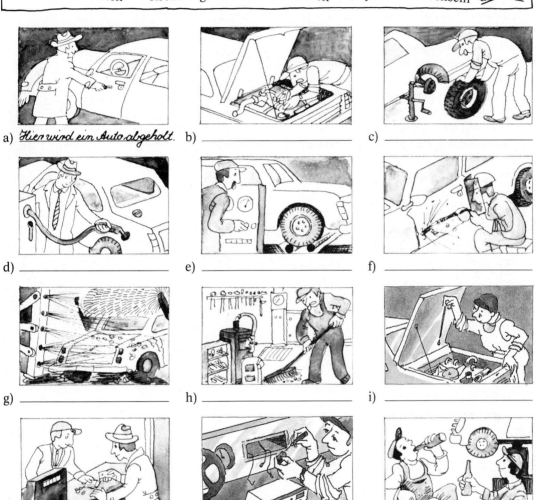

a) *Hier wird ein Auto abgeholt.* b) _____ c) _____

d) _____ e) _____ f) _____

g) _____ h) _____ i) _____

j) _____ k) _____ l) _____

14. Ihre Grammatik. Ergänzen Sie.

Nach Übung

11

im Kursbuch

ich	du	Sie	er/sie/es/man	wir	ihr	sie/Sie
werde abgeholt	w					

Lektion 4

Nach Übung

11

im Kursbuch

15. Familie Sommer: Was wird von wem gemacht?

a) Kinder wecken (Vater)   *Die Kinder werden vom Vater geweckt.*
b) Kinder anziehen (Mutter)
c) Frühstück machen (Vater)
d) Kinder zur Schule bringen (Vater)
e) Geschirr spülen (Geschirrspüler)
f) Wäsche waschen (Waschmaschine)
g) Kinderzimmer aufräumen (Kinder)
h) Hund baden (Kinder)
i) Kinder ins Bett bringen (V. und M.)
j) Wohnung putzen (Vater)
k) Essen kochen (Vater)
l) Geld verdienen (Mutter)

Nach Übung

11

im Kursbuch

16. Ihre Grammatik. Ergänzen Sie.

a) Die Karosserien werden von Robotern geschweißt.
b) Roboter schweißen die Karosserien.
c) Morgens wird das Material mit Zügen gebracht.
d) Züge bringen morgens das Material.
e) Der Vater bringt die Kinder ins Bett.
f) Die Kinder werden vom Vater ins Bett gebracht.

	Vorfeld	Verb$_1$	Subjekt	Ergänzung	Angabe	Ergänzung	Verb$_2$
a)	Die Karosserien	werden			von Robotern		geschweißt.
b)							
c)							
d)							
e)							
f)							

17. Was können Sie auch sagen?

Nach Übung

11

im Kursbuch

a) *Die schweren Arbeiten werden von Robotern gemacht.*
   - A Die Roboter machen die Arbeit schwer.
   - B Die schweren Roboter werden nicht von Menschen gemacht.
   - C Die Roboter machen die schweren Arbeiten.

b) *In unserer Familie wird viel gesungen.*
   - A In unserer Familie singen wir oft.
   - B Unsere Familie singt immer.
   - C Unsere Familie singt meistens hoch.

c) *Worüber wird morgen im Deutschkurs gesprochen?*
   - A Mit wem sprechen wir morgen im Deutschkurs?
   - B Spricht morgen jemand im Deutschkurs?
   - C Über welches Thema sprechen wir morgen im Deutschkurs?

d) *Kinder werden nicht gerne gewaschen.*
   - A Keiner wäscht die Kinder.
   - B Kinder mögen es nicht, wenn man sie wäscht.
   - C Kinder wäscht man meistens nicht.

e) *Wird der Wagen zu schnell gefahren?*
   - A Fährt der Wagen zu schnell?
   - B Ist der Wagen meistens sehr schnell?
   - C Fahren Sie den Wagen zu schnell?

f) *In Deutschland wird viel Kaffee getrunken.*
   - A Man trinkt viel Kaffee, wenn man in Deutschland ist.
   - B Wenn man viel Kaffee trinkt, ist man oft in Deutschland.
   - C Die Deutschen trinken viel Kaffee.

18. Berufe rund ums Auto.

Nach Übung

12

im Kursbuch

a) Ordnen Sie zu.

| A. | Ein Autoverkäufer | | B. | Ein Tankwart | | C. | Eine Berufskraftfahrerin |

1	bekommt Provisionen		7	ist oft von der Familie getrennt.
2	fährt täglich 500 bis 700 Kilometer.		8	muss auch Büroarbeit machen.
3	hat keine leichte Arbeit.		9	muss auch technische Arbeiten machen.
4	hat oft unregelmäßige Arbeitszeiten.		10	muss immer pünktlich ankommen.
5	ist meistens an der Kasse.		11	verkauft Autos.
6	kann Kredite und Versicherungen besorgen.		12	verkauft Benzin, Autozubehörteile und andere Artikel.

b) Schreiben Sie drei Texte im Konjunktiv II.

A. *Wenn ich Autoverkäufer wäre, würde ich Pr...*   *Ich ... und ...*

B. *Wenn ich Tank...*

C. *Wenn ...*

Lektion 4

19. Setzen Sie die Partizipformen ein.

a) (anrufen) ○ Hast du schon die Werkstatt _____ ?
          □ Ich werde von der Werkstatt _____ .

b) (reparieren) ○ Hat der Mechaniker das Auto _____ ?
          □ Nein, das Auto wird später _____ .

c) (aufmachen) ○ Hat die Tankstelle schon _____ ?
          □ Nein, sie wird erst um 9 Uhr _____ .

d) (versorgen) ○ Hat Thomas die Kinder _____ ?
          □ Die Kinder werden von Brigitte _____ .

e) (bedienen) ○ Hat man dich schon _____ ?
          □ Nein, hier wird man nicht gut _____ .

f) (verkaufen) ○ Hast du dein Auto _____ ?
          □ Nein, das wird nicht _____ .

g) (wechseln) ○ Hat Martin die Reifen _____ ?
          □ Nein, die Reifen werden von der Werkstatt _____ .

h) (beraten) ○ Hat man dich hier gut _____ ?
          □ Ja, hier wird man gut _____ .

i) (anmelden) ○ Hast du deinen neuen Wagen _____ ?
          □ Der wird von der Autofirma _____ .

j) (besorgen) ○ Hast du dir einen Kredit _____ ?
          □ Der wird mir vom Autoverkäufer _____ .

k) (pflegen) ○ Hast du dein Auto immer gut _____ ?
          □ Das wird von meinem Bruder _____ .

l) (montieren) ○ Hast du das Autoradio _____ ?
          □ Nein, das wird vom Mechaniker _____ .

m) (kontrollieren) ○ Hat Herr Meyer die Kasse _____ ?
          □ Die wird von Herrn Müller _____ .

n) (vorbereiten) ○ Haben Sie die Reparatur _____ ?
          □ Die wird vom Meister _____ .

o) (zurückgeben) ○ Hat man dir das Geld _____ ?
          □ Nein, das wird nicht _____ .

p) (einschalten) ○ Haben Sie das Fahrlicht _____ ?
          □ Nein, das wird noch nicht _____ .

q) (bezahlen) ○ Hast du die Rechnung schon _____ ?
          □ Nein, die wird auch nicht _____ .

r) (kündigen) ○ Hast du die Versicherung _____ ?
          □ Nein, die wird auch nicht _____ .

s) (schreiben) ○ Haben Sie die Rechnung _____ ?
          □ Die wird doch vom Computer _____ .

t) (liefern) ○ Hat man schon die neuen Teile _____ ?
          □ Nein, die werden morgen mit der Bahn _____ .

20. Wo arbeiten diese Leute?

Nach Übung
13
im Kursbuch

> Sekretär(in) Roboter Tankwart(in) Autoverkäufer(in) Meister(in)
> Mechaniker(in) Buchhalter(in)
> Facharbeiter(in) Schichtarbeiter(in)
> Fahrlehrer(in) Taxifahrer(in) Berufskraftfahrer(in)

a) im Auto:

_____ , _____ , _____

b) im Autogeschäft:

_____ , _____ , _____

c) an der Tankstelle / in der Werkstatt:

_____ , _____ , _____

d) in der Autofabrik:

_____ , _____ , _____

21. Ergänzen Sie.

Nach Übung
14
im Kursbuch

a) Franziska ist _____ Jürgen verheiratet.
b) Jürgen arbeitet seit 11 Jahren _____ einer Autoreifenfabrik.
c) Er sorgt _____ die Kinder und macht das Abendessen.
d) Die Arbeit ist nicht gut _____ das Familienleben.
e) Jürgen ist _____ seinem Gehalt zufrieden.
f) _____ Überstunden bekommt er 25% extra.
g) Arbeitspsychologen warnen _____ Schichtarbeit.
h) Da bleibt wenig Zeit _____ Gespräche.
i) Hier findet man Informationen _____ die wichtigsten Berufe.
j) Berufskraftfahrer sind oft mehrere Tage _____ ihrer Familie getrennt.
k) Der Beruf des Automechanikers ist _____ Jungen sehr beliebt.
l) Fahrlehrer bereiten die Fahrschüler _____ die Führerscheinprüfung vor.
m) _____ Selbständiger verdient man mehr.

> mit
> von vor
> für
> über
> als
> auf bei

22. Was passt nicht?

Nach Übung
15
im Kursbuch

a) Job – Beruf – Hobby – Arbeit
b) Frühschicht – Feierabend – Nachtschicht – Überstunden
c) Industrie – Arbeitgeber – Arbeitnehmer – Angestellter
d) Feierabend – Wochenende – Urlaub – Arbeitszeit
e) Urlaubsgeld – Gehalt – Haushalt – Stundenlohn
f) Firma – Kredit – Betrieb – Fabrik

Lektion 4

Nach Übung

15

im Kursbuch

23. Ein Interview mit Norbert Behrens.
   Schreiben Sie die Fragen.

○ *Herr Behrens, was sind ...*
_____

☐ Ich bin Taxifahrer.
○ _____

_____
☐ Nein, ich arbeite für ein Taxiunternehmen.
○ _____

☐ Ich bin jetzt 27.
○ _____

☐ Ich habe eigentlich immer Nachtschicht,
   das heißt ich arbeite von 20 bis 7 Uhr.
○ _____

☐ Naja, nach dem Frühstück, also zwischen
   8 und 14 Uhr.
○ _____
☐ Nein, das finde ich nicht so schlimm. Wenn ich nur am Tag besser schlafen könnte.
○ _____
☐ Weil der Straßenlärm mich stört.
○ _____
☐ Sie ist Krankenschwester.
○ _____
☐ Einen Sohn, er ist 4 Jahre alt.
○ _____
☐ Sie arbeitet nur morgens, zwischen 8 und 13 Uhr.
○ _____
☐ Da sind wir beide zu Hause. Dann machen wir gemeinsam den Haushalt, spielen mit dem Kind oder wir gehen einkaufen.
○ _____
☐ Weil wir sonst nicht genug Geld haben. Außerdem möchte ich ein eigenes Taxi kaufen und mich selbständig machen.

Nach Übung

15

im Kursbuch

24. Wie heißt das Gegenteil?

wach	allein	gleich	leer	sauber	mehr	selten	zusammen	ruhig

a) nervös – _____   d) oft – _____   g) weniger – _____
b) getrennt – _____   e) müde – _____   h) gemeinsam – _____
c) schmutzig – _____ f) voll – _____   i) unterschiedlich – _____

25. Was passt?

Nach Übung

17

im Kursbuch

Kredit	Haushaltsgeld	Rentenversicherung	Schichtarbeit	Steuern

Lohn

Arbeitslosenversicherung　　　Krankenversicherung　　　Überstunden　　　Gehalt

a) Wenn man mehr Stunden am Tag arbeitet, als man sonst muss, macht man
_____.

b) Wenn man krank ist, möchte man Medikamente und Arztkosten nicht selbst bezahlen.
Deshalb hat man eine _____.

c) Wenn man nicht regelmäßig arbeitet, also mal am Tag und mal nachts, macht man
_____.

d) Ein Arbeiter bekommt für seine Arbeit einen _____.

e) Ein Angestellter bekommt für seine Arbeit ein _____.

f) Wenn man seine Arbeit verloren hat, bekommt man Geld von der _____.

g) Für die Kosten im Haushalt und in der Familie braucht man _____.

h) Wenn man sich Geld leiht, hat man einen _____.

i) Herr Meier arbeitet nicht mehr. Deshalb bekommt er jetzt Geld von der _____.

j) Der Bruttolohn ist der Nettolohn plus Versicherungen und _____.

26. Was sehen Sie?

Nach Übung

17

im Kursbuch

a) Autobahn _____

b) Autounfall _____

c) Autozug _____

d) Unfallauto _____

e) Automechaniker _____

f) Autowerkstatt _____

g) Lastwagen _____

h) Werkstattauto _____

Lektion 5

Wortschatz

Verben

anrufen 62
aufpassen 71
aufräumen 62
aufstehen 71
ausmachen 62
berichten 66
denken über 64
duschen 62
einladen 61
entschuldigen 61
erziehen 67

essen 60
fernsehen 65
fühlen 69
glauben 64
hängen 62
hassen 61
heiraten 63
heißen 64
hoffen 63
kochen 61
kümmern 67

langweilen 69
leben 63
lieben 63
meinen 64
putzen 71
rauchen 60
sagen 63
schimpfen 65
schlagen 67
schmecken 60
schwimmen 71

setzen 65
sparen 62
spazieren gehen 65
sterben 68
streiten 62
telefonieren 62
töten 64
trinken 66
unterhalten 61
wecken 62

Nomen

r Alkohol 61
e Angst, ¨e 62
s Baby, -s 63
e Beamtin, -nen 63
e/r Bekannte, -n (ein
   Bekannter) 61
r Besuch, -e 66
r Chef, -s 61
e Diskothek, -en
   64
e Ehe, -n 63
e Ehefrau, -en 64
s Ehepaar, -e 63
e Eltern (Plural)
   63
e Erziehung 69
s Essen 65
e Familie, -n 67

r Fehler, - 65
r Fernseher, - 62
e Flasche, -n 65
e Frau, -en 63
r Freund, -e 64
e Freundin, -nen
   64
r Geburtstag, -e 62
s Gesetz, -e 69
s Gespräch, -e 62
e Großeltern (Plural)
   67
e Großmutter, ¨ 71
r Großvater, ¨ 71
r Herr, -en 67
r Ingenieur, -e 64
e Jugend 69
s Kind, -er 62

e Kleider (Plural)
   62
e Küche, -n 62
r Kühlschrank, ¨e
   65
e Laune, -n 61
s Leben 63
s Mädchen, - 70
s Menü, -s 66
e Mutter, ¨ 62
r Nachbar, -n 61
r Neffe, -n 71
e Nichte, -n 71
r Onkel, - 71
s Paar, -e 63
e Pause, -n 61
s Prozent, -e 63
e Ruhe 65

r Salat, -e 65
e Soße, -n 65
e Laune, -n 61
r Schrank, ¨e 62
e Schwester, -n 61
r Sohn, ¨e 71
e Tante, -n 71
e U-Bahn, -en 64
r Unsinn 64
e Untersuchung, -en
   63
s Urteil, -e 64
r Vater, ¨ 65
s Viertel, - 66
r Wunsch, ¨e 70

Adjektive

aktiv 60
allein 66
ärgerlich 66
beruflich 63
besetzt 62
dauernd 61

deutlich 69
doof 61
frei 70
früher 67
glücklich 64
höflich 61

kritisch 70
ledig 66
neugierig 61
spät 60
still 65
überzeugt 64

unbedingt 68
unfreundlich 60
unmöglich 69
verheiratet 66

Adverbien

damals 70	jetzt 63	schließlich 68	weg- 65
gern 64	manchmal 61	sofort 63	zurück- 68

Funktionswörter

auf 64	entweder ... oder ...	für 60	über 61
dass 63	65	mit- 61	um 63

Ausdrücke

dagegen sein 64	klar sein 63	schlechte Laune	Sport treiben 71
frei sein 63	na ja 64	haben 61	zu Hause 70
immer nur 65	nach Hause 62	sich wohl fühlen 65	

Grammatik

Infinitivsatz mit „zu" (§ 30)

Ich habe keine Zeit	für Sabine.	Ich habe keine Zeit	Sabine zu helfen.
Ich habe keine Zeit	für sie.	Ich habe keine Zeit	dafür.

Ich möchte ihm helfen	eine Frau zu finden.
Wir haben keine Lust	täglich acht Stunden zu arbeiten.
Er hat vergessen	anzurufen.
Warum versucht ihr nicht	abzunehmen?
Hast du Zeit	mir diesen Satz zu erklären?

Nebensatz mit „dass" (§ 25)

Ich finde,	dass junge Eltern ihre Kinder besser erziehen können.
Mein Vater sagt,	dass er das nicht glaubt.
Wir hoffen,	dass wir noch Karten für das Konzert bekommen.

Präteritum (§ 19)

Schwache und unregelmäßige Verben		*Starke Verben*	
ich sagte	ich wartete	ich ging	ich fand
du sagtest	du wartetest	du gingst	du fandest
er sagte	er wartete	er ging	er fand
wir sagten	wir warteten	wir gingen	wir fanden
ihr sagtet	ihr wartetet	ihr gingt	ihr fandet
sie sagten	sie warteten	sie gingen	sie fanden
Sie sagte	Sie warteten	Sie gingen	Sie fanden

Lektion 5

1. Herr X ist unzufrieden. Er will anfangen besser zu leben. Was sagt Herr X?

Obst essen	Eltern besuchen	spazieren gehen	Blumen gießen
schlafen gehen	Rechnungen bezahlen	eine Krawatte anziehen	kochen
Sport treiben	täglich duschen	arbeiten	eine Fremdsprache lernen
fernsehen	Schuhe putzen	ein Gartenhaus bauen	Zeitung lesen
Bier trinken	zum Zahnarzt gehen	billiger einkaufen	Maria Blumen mitbringen
Geld ausgeben	lügen	Fahrrad fahren	Briefe schreiben
Wohnung aufräumen	aufstehen	frühstücken	telefonieren

mehr   besser   regelmäßig   nicht mehr   früher

weniger   immer   schneller   öfter

Morgen fange ich an mehr Obst zu essen.
Morgen fange ich an früher ...

2. Ihre Grammatik. Ordnen Sie.

anfangen	bleiben	fragen	lesen	studieren
anrufen	buchstabieren	frühstücken	malen	tanken
antworten	denken	gehen	nachdenken	tanzen
arbeiten	diskutieren	gewinnen	packen	telefonieren
aufhören	duschen	heiraten	parken	überlegen
aufpassen	einkaufen	helfen	putzen	verlieren
aufräumen	einpacken	kämpfen	reden	vergleichen
aufstehen	einschlafen	klingeln	reisen	vorbeikommen
auspacken	einsteigen	kochen	schlafen	wandern
ausruhen	erzählen	kontrollieren	schreiben	waschen
aussteigen	essen	korrigieren	schwimmen	wählen
ausziehen	fahren	kritisieren	schwitzen	wegfahren
baden	feiern	lachen	sitzen	weinen
bestellen	fernsehen	laufen	singen	zeichnen
bezahlen	fliegen	leben	spielen	zuhören
bitten	fotografieren	lernen	sterben	zurückgeben

untrennbare Verben	trennbare Verben
Ich habe keine Lust...	Ich habe keine Lust...
zu antworten	*anzufangen*
zu ...	*anzurufen*
	...

3. Was findet man gewöhnlich bei anderen Menschen positiv oder negativ? Ordnen Sie die Wörter und schreiben Sie das Gegenteil daneben.

Nach Übung

2

im Kursbuch

a) attraktiv	d) schmutzig	g) laut	j) freundlich	m) pünktlich	p) verrückt
b) treu	e) langweilig	h) sportlich	k) hässlich	n) dumm	q) zufrieden
c) ehrlich	f) höflich	i) sympathisch	l) traurig	o) nervös	

	+	–		+	–
a)	*attraktiv*	*unattraktiv*	j)	_____	_____
b)	_____	_____	k)	_____	_____
c)	_____	_____	l)	_____	_____
d)	_____	_____	m)	_____	_____
e)	_____	_____	n)	_____	_____
f)	_____	_____	o)	_____	_____
g)	_____	_____	p)	_____	_____
h)	_____	_____	q)	_____	_____
i)	_____	_____			

4. Ergänzen Sie.

Nach Übung

2

im Kursbuch

Ich mag…

a) dick_____ Leute.

b) meine neu_____ Kollegin.

c) meinen neugierig_____ Nachbarn nicht.

d) sein jüngst_____ Kind am liebsten.

e) Leute mit verrückt_____ Ideen.

f) Leute mit einem klug_____ Kopf.

g) Leute mit einer lustig_____ Frisur.

h) Leute mit einem hübsch_____ Gesicht.

i) den neu_____ Freund meiner Kollegin.

j) die neu_____ Chefin lieber als die alt_____ .

k) das ältest_____ Kind meiner Schwester nicht sehr gerne.

l) die sympathisch_____ Gesichter der beiden Schauspieler.

m) das Mädchen mit den rot_____ Haaren.

n) den Mann mit dem lang_____ Bart nicht.

o) die Frau mit dem kurz_____ Kleid.

p) den Mann mit dem sportlich_____ Anzug.

5. Ordnen Sie.

Nach Übung

3

im Kursbuch

Nachbar	Pilot	Verkäufer	Tante	Zahnärztin	Schwester	Musikerin
Bruder	Ehemann	Kaufmann	Eltern	Kellnerin	Kollege	Künstler
Tochter	Lehrerin	Bekannte	Ministerin	Sohn	Politiker	Ehefrau
Polizist	Schauspielerin	Schriftsteller	Soldat	Kind	Fotografin
Freund	Friseurin	Journalistin	Bäcker	Vater	Mutter

Berufe	Familie / Menschen, die man gut kennt
Pilot	*Nachbar*
…	…

Lektion 5

Nach Übung

3

im Kursbuch

6. Sie können es auch anders sagen.

a) Ich wollte dich anrufen. Leider hatte ich keine Zeit.
   Leider hatte ich keine Zeit dich anzurufen.

b) Immer muss ich die Wohnung alleine aufräumen. Nie hilfst du mir.
c) Kannst du nicht pünktlich sein? Hast du das nicht gelernt?
d) Hast du Gaby nicht eingeladen? Hast du das vergessen?
e) Ich lerne jetzt Französisch. Morgen fange ich an.
f) Ich wollte letzte Woche mit Jochen ins Kino gehen, aber er hatte keine Lust.
g) Meine Kollegin konnte mir gestern nicht helfen, weil sie keine Zeit hatte.
h) Mein Bruder wollte mein Auto reparieren. Er hat es versucht, aber es hat nicht geklappt.
i) Der Tankwart sollte den Wagen waschen, aber er hat es vergessen.

Nach Übung

3

im Kursbuch

7. Ordnen Sie.

manchmal   meistens   sehr oft

fast immer   oft/häufig   sehr selten   nie

selten/nicht oft   fast nie   immer

a) *nie* _____ → b) _____ → c) _____ → d) _____ → e) _____ →
f) _____ → g) _____ → h) _____ → i) _____ → j) _____

Nach Übung

3

im Kursbuch

8. Was passt zusammen?

A. Mit den folgenden Sätzen kann man einen Infinitivsatz beginnen.

Ich habe Lust	Ich habe vergessen	Ich versuche	Ich höre auf
Es macht mir Spaß	Ich habe Zeit	Ich helfe dir	Ich habe nie gelernt
Ich habe die Erlaubnis	Ich habe vor	Ich habe Angst	Ich verbiete dir
Ich habe Probleme			

Bilden Sie Infinitivsätze. Welche der Sätze oben passen mit den folgenden Sätzen zusammen?

a) Heute habe ich nichts zu tun. Da kann ich endlich mein Buch lesen.
b) Mein Fahrrad ist kaputt. Vielleicht kann ich es selbst reparieren.
c) Ich spiele gern mit kleinen Kindern.
d) Dein Koffer ist sehr schwer. Komm, wir tragen ihn zusammen!
e) Im August habe ich Urlaub. Dann fahre ich nach Spanien.
f) Ich darf heute eine Stunde früher Feierabend machen.
g) Ich kann abends sehr schlecht einschlafen.
h) Nachts gehe ich nicht gern durch den Park. (Das ist mir zu gefährlich.)
i) Ab morgen rauche ich keine Zigaretten mehr.
j) Du sollst nicht in die Stadt gehen; ich will das nicht!

k) Ich wollte gestern den Brief zur Post bringen. (Er liegt noch auf meinem Schreibtisch.)
l) Ich bin schon 50 Jahre alt, aber ich kann nicht Auto fahren.
m) Ich möchte gerne spazieren gehen.

a) *Ich habe Zeit mein Buch zu lesen.*
b) *Ich versuche...*
…

B. Auch mit den folgenden Sätzen beginnt man Infinitivsätze.

Es ist		Es ist	
	wichtig		richtig
	langweilig		furchtbar
	gefährlich		unmöglich
	interessant		leicht
	lustig		schwer
	falsch		…

> neue Freunde finden   das Auto reparieren
> allein sein   zu viel Fisch essen
> andere Leute treffen   alles wissen   im Meer baden
> einen Freund verlieren   …   mit Kindern spielen

Bilden Sie Infinitivsätze.

a) *Es ist wichtig das Auto zu reparieren.*
b) *Es ...*
…

9. Ergänzen Sie.

Nach Übung
5
im Kursbuch

> telefonieren   duschen   erzählen   hängen   vergessen
> entschuldigen   anmachen   ausmachen   anrufen   wecken   reden

a) Ich habe in meiner neuen Wohnung kein Bad. Kann ich bei dir
_____?

b) Dein Mantel liegt im Wohnzimmer auf dem Sofa, oder er _____ im
Schrank.

c) Du hörst jetzt schon seit zwei Stunden diese schreckliche Musik. Kannst du das Radio nicht
mal _____?

d) _____ doch mal das Licht _____. Man sieht ja nichts mehr.

e) Du stehst doch immer ziemlich früh auf. Kannst du mich morgen um 7.00 Uhr
_____?

f) Vielleicht kann ich doch morgen kommen. _____ mich doch mor-
gen Mittag zu Hause oder im Büro _____. Dann weiß ich es genau. Meine Nummer
kennst du ja.

g) Du musst dich bei Monika _____. Du hast ihren Geburtstag
_____.

h) Mit wem hast du gestern so lange _____? Ich wollte dich anrufen,
aber es war immer besetzt.

i) Klaus ist so langweilig. Ich glaube, der kann nur über das Wetter _____.

j) Sie hat mir viel von ihrem Urlaub _____. Das war sehr interessant.

Lektion 5

Nach Übung

5

im Kursbuch

10. Welches Verb passt wo? (Sie können selbst weitere Beispiele finden.)

entschuldigen   unterhalten   reden   ausmachen   telefonieren   kritisieren   anrufen

a) den Arzt
   aus der Telefonzelle   _____
   bei der Auskunft
   Frau Cordes

e) den Film
   die Politik   _____
   den Freund
   das Essen

b) sich | bei den Nachbarn
       | für den Lärm   _____
       | für den Fehler
       | bei den Eltern

f) sich | mit einem Freund
       | über den Urlaub   _____
       | auf der Feier
       | in der U-Bahn

c) mit der Freundin
   am Schreibtisch   _____
   in der Post
   in der Mittagspause

g) über | die Operation
        | das Theaterstück   _____
        | Politik
        | den Chef

d) den Fernsehapparat
   die Waschmaschine   _____
   das Licht
   das Radio

Nach Übung

5

im Kursbuch

11. Was passt?

a) ausmachen: den Fernseher, den Schrank, das Licht, das Radio
b) anrufen: Frau Keller, Ludwig, meinen Chef, das Gespräch
c) telefonieren: mit meinem Kind, mit dem Ehepaar Klausen, mit der Ehe, mit seiner
                  Schwester
d) aufräumen: den Geburtstag, die Küche, das Haus, das Büro
e) hoffen: auf eine bessere Zukunft, auf ein besseres Leben, auf der besseren Straße,
                  auf besseres Wetter

Nach Übung

7

im Kursbuch

12. Sagen Sie es anders.

a) Meine Freundin glaubt, alle Männer sind schlecht.
   Meine Freundin glaubt, dass alle Männer schlecht sind.

b) Ich habe gehört, Inge hat einen neuen Freund.
c) Peter hofft, seine Freundin will ihn bald heiraten.
d) Wir wissen, Peters Eltern haben oft Streit.
e) Helga hat erzählt, sie hat eine neue Wohnung gefunden.
f) Ich bin überzeugt, es ist besser, wenn man jung heiratet.
g) Frank hat gesagt, er will heute abend eine Kollegin besuchen.
h) Ich meine, man soll viel mit seinen Kindern spielen.
i) Du hast mich zu deinem Geburtstag eingeladen. Darüber habe ich mich gefreut.

13. Welcher Satz ist sinnvoll?

Nach Übung

8

im Kursbuch

a) Ⓐ *Ich finde,*
   Ⓑ *Ich glaube,*
   Ⓒ *Ich verlange,*

   dass es morgen regnet.

b) Ⓐ *Ich bin der Meinung,*
   Ⓑ *Ich passe auf,*
   Ⓒ *Ich verspreche,*

   dass meine Schwester sehr intelligent ist.

c) Ⓐ *Ich denke,*
   Ⓑ *Ich meine,*
   Ⓐ *Ich weiß,*

   dass die Erde rund ist.

d) Ⓐ *Ich bin dafür,*
   Ⓑ *Ich bin überzeugt,*
   Ⓒ *Ich kritisiere,*

   dass der Präsident ein guter Politiker ist.

e) Ⓐ *Ich bin einverstanden,*
   Ⓑ *Ich verspreche,*
   Ⓒ *Ich bin traurig,*

   dass du nie Zeit für mich hast.

f) Ⓐ *Ich hasse es,*
   Ⓑ *Ich bin glücklich,*
   Ⓒ *Ich möchte,*

   dass meine Nachbarn mich immer durch laute Musik stören.

14. Nebensätze mit „dass" beginnen auch oft mit den folgenden Sätzen.
   Lernen Sie die Sätze.

Nach Übung

8

im Kursbuch

Ich habe geantwortet,	dass…	Es ist falsch,	dass…	Es ist möglich,	dass…
Ich habe erklärt,		richtig,		wunderbar,	
Ich habe gesagt,		wahr,		interessant,	
Ich habe entschieden,		klar,		toll,	
Ich habe gehört,		lustig,		nett,	
Ich habe geschrieben,		schlimm,		klug,	
Ich habe vergessen,		wichtig,		verrückt,	
Ich habe mich beschwert,		schlecht,		selten,	
		gut,			

15. Was ist Ihre Meinung? Schreiben Sie.

Nach Übung

8

im Kursbuch

a) Geld macht nicht glücklich.   Ich bin auch/nicht überzeugt, …

Ich bin auch überzeugt, dass Geld nicht glücklich macht.

b) Es gibt sehr viele schlechte Ehen.   Ich glaube auch/nicht, …
c) Ohne Kinder ist man freier.   Ich finde auch/nicht, …
d) Die meisten Männer heiraten nicht gern.   Ich bin auch/nicht der Meinung, …
e) Die Liebe ist das Wichtigste im Leben.   Es stimmt/stimmt nicht, …
f) Reiche Männer sind immer interessant.   Es ist wahr/falsch, …
g) Schöne Frauen sind meistens dumm.   Ich meine auch/nicht, …
h) Frauen mögen harte Männer.   Ich denke auch/nicht, …
i) Man muss nicht heiraten, wenn man Kinder will.   Ich bin dafür/dagegen, …

Lektion 5

16. Ihre Grammatik. Ergänzen Sie den Infinitiv und das Partizip II.

Starke und unregelmäßige Verben

Infinitiv	Präteritum (3. Person Singular)	Partizip II
anfangen	fing an	*angefangen*
	begann	
	bekam	
	brachte	
	dachte	
	lud ein	
	aß	
	fuhr	
	fand	
	flog	
	gab	
	ging	
	hielt	
	hieß	
	kannte	
	kam	
	lief	
	las	
	lag	
	nahm	
	rief	
	schlief	
	schnitt	
	schrieb	
	schwamm	
	sah	
	sang	
	saß	
	sprach	
	stand	
	trug	
	traf	
	tat	
	vergaß	
	verlor	
	wusch	
	wusste	

Schwache Verben

Infinitiv	Präteritum (3. Person Singular)	Partizip II
abholen	holte ab	*abgeholt*
	stellte ab	
	antwortete	
	arbeitete	
	hörte auf	
	badete	
	baute	
	besichtigte	
	bestellte	
	besuchte	
	bezahlte	
	brauchte	
	kaufte ein	
	erzählte	
	feierte	
	glaubte	
	heiratete	
	holte	
	hörte	
	kaufte	
	kochte	
	lachte	
	lebte	
	lernte	
	liebte	
	machte	
	parkte	
	putzte	
	rechnete	
	reiste	
	sagte	
	schenkte	
	spielte	
	suchte	
	tanzte	
	zeigte	

Lektion 5

17. „Nach", „vor", „in", „während", „bei" oder „an"? Was passt? Ergänzen Sie auch die Artikel.

a) _____ Sommer sitzen wir abends oft im Garten und grillen.

b) _____ _____ Abendessen dürfen die Kinder nicht mehr spielen. Sie müssen dann sofort ins Bett gehen.

c) Meine Mutter passt genau auf, dass ich mir _____ _____ Essen immer die Hände wasche. Sonst darf ich mich nicht an den Tisch setzen.

d) _____ _____ Arbeit fahre ich sofort nach Hause.

e) _____ Abend sehen meine Eltern meistens fern.

f) _____ nächsten Jahr bekommen wir eine größere Wohnung. Dann wollen wir auch Kinder haben.

g) Mein Vater sieht sehr gerne Fußball. _____ _____ Sportsendungen darf ich ihn deshalb nicht stören.

h) Meine Frau und ich haben uns 4 Jahre _____ _____ Hochzeit kennengelernt.

i) _____ Wochenende gehe ich mit meiner Freundin oft ins Kino.

j) _____ _____ ersten Ehejahren wollen die meisten Paare noch keine Kinder haben.

k) _____ Dienstag gehe ich in die Sauna.

l) _____ _____ Schulzeit bekam Sandra ein Kind.

m) _____ Abendessen dürfen die Kinder nicht sprechen. Die Eltern möchten, dass sie still am Tisch sitzen.

n) _____ Anfang konnten die Eltern nicht verstehen, dass Ulrike schon mit 17 Jahren eine eigene Wohnung haben wollte.

18. Ihre Grammatik. Ergänzen Sie.

	der Besuch	die Arbeit	das Abendessen	die Sportsendungen
vor	vor dem Besuch	vor d		
nach	nach d	nach d		
bei	bei d	bei d		
während	während dem während des Besuchs	während d während d		

	der Abend		das Wochenende	die Sonntage
an	am Abend			

	der letzte Sommer	die letzte Woche	das letzte Jahr	die letzten Jahre
in	im letzten Sommer	in d		

19. Im Gespräch verwendet man im Deutschen meistens das Perfekt und nicht das Präteritum. Erzählen Sie deshalb in dieser Übung von Adele, Ingeborg und Ulrike im Perfekt. Verwenden Sie das Präteritum nur für die Verben „sein", „haben", „dürfen", „sollen", „müssen", „wollen" und „können".

Nach Übung

13

im Kursbuch

a) Maria: *Marias Jugendzeit war sehr hart. Eigentlich hatte sie nie richtige Eltern. Als sie zwei Jahre alt war, ist ihr Vater gestorben. Ihre Mutter hat ihren Mann nie vergessen und hat mehr an ihn ...*

b) Adele: *Adele hat als Kind ...*

c) Ingeborg: ...

d) Ulrike: ...

20. Erinnerungen an die Großmutter. Ergänzen Sie die Verbformen im Präteritum.

Nach Übung

13

im Kursbuch

fand (finden)   arbeitete (arbeiten)   half (helfen)   las (lesen)   verdiente (verdienen)
hieß (heißen)   hatte (haben)   nannte (nennen)   besuchte (besuchen)   ging (gehen)
erzählte (erzählen)   heiratete (heiraten)   war (sein)   sah (sehen)   trug (tragen)
wohnte (wohnen)   liebte (lieben)   gab (geben)   wollte (wollen)   schlief (schlafen)

Meine Großmutter _____(a) Elisabeth, aber ich _____(b) sie immer Oma Lili. Ich _____(c) sie oft, und dann _____(d) sie mir von früher. Sie _____(e) schon mit 18 Jahren. Meine Mutter _____(f) ihr einziges Kind, weil ihr Mann bald nach der Hochzeit in den Krieg _____(g); und dann _____(h) sie ihn nie wieder. Sie _____(i) mit dem Kind bei ihren Eltern. Nachts _____(j) sie auf dem Sofa, weil es nicht genug Betten _____(k). Heiraten _____(l) sie nicht mehr, weil sie ihren Mann immer noch _____(m). Später _____(n) sie eine Arbeitsstelle in einem Gasthaus. Sie _____(o) dem Koch in der Küche. Obwohl sie täglich zehn Stunden _____(p), _____(q) sie wenig Geld. Meine Großmutter _____(r) damals nur ein schönes Kleid und das _____(s) sie am Sonntag. Sie _____(t) gerne Bücher, am liebsten Liebesromane.

21. Sagen Sie es anders.

Nach Übung

13

im Kursbuch

a) Meine Eltern haben in Paris geheiratet. Da waren sie noch sehr jung.
Als meine Eltern in Paris geheiratet haben, waren sie noch sehr jung.

b) Ich war sieben Jahre alt. Da hat mir mein Vater einen Hund geschenkt.

c) Vor fünf Jahren hat meine Schwester ein Kind bekommen. Da war sie 30 Jahre alt.

d) Sandra hat die Erwachsenen gestört. Trotzdem durfte sie im Zimmer bleiben.

e) Früher hatten seine Eltern oft Streit. Da war er noch ein Kind.

f) Früher war es zu Hause nicht so langweilig. Da haben meine Großeltern noch gelebt.

g) Wir waren im Sommer in Spanien. Das Wetter war sehr schön.

Lektion 5

Nach Übung

13

im Kursbuch

22. Ein Vater erzählt von seinem Sohn. Was sagt er?

jeden Tag drei Stunden telefonieren (14 J.)   schwimmen lernen (5 J.)   laufen lernen (1 J.)

sich sehr für Politik interessieren (18 J.)   sich ein Fahrrad wünschen (4 J.)

sich nicht gerne waschen (8 J.)   immer nur Unsinn machen (3 J.)

heiraten (24 J.)   Briefmarken sammeln (15 J.)   vom Fahrrad fallen (7 J.)   viel lesen (10 J.)

Als er ein Jahr alt war, hat er laufen gelernt.
Als er drei Jahre alt war, ...

Nach Übung

13

im Kursbuch

23. „Als" oder „wenn"? Was passt?

a) _____ das Wetter im Sommer schön ist, sitzen wir oft im Garten und grillen.

b) _____ Ulrike 17 Jahre alt war, bekam sie ein Kind.

c) _____ meine Mutter abends ins Kino gehen möchte, ist mein Vater meistens zu müde.

d) _____ meine Mutter gestern allein ins Kino gehen wollte, war mein Vater sehr böse.

e) _____ Ingeborg ein Kind war, war das Wort ihrer Eltern Gesetz.

f) Früher mussten die Kinder ruhig sein, _____ die Eltern sich unterhielten.

g) _____ Sandra sich bei unserem Besuch langweilte und uns störte, lachten die Erwachsenen und sie durfte im Zimmer bleiben.

h) _____ ich nächstes Wochenende Zeit habe, dann gehe ich mit meinen Kindern ins Schwimmbad.

i) _____ wir im Kinderzimmer zu laut sind, müssen wir sofort ins Bett.

j) _____ mein Vater gestern meine Hausaufgaben kontrollierte, schimpfte er über meine Fehler.

Nach Übung

13

im Kursbuch

24. Ergänzen Sie.

mit	an	um	für	auf	über

a) Meine Mutter schimpfte immer _____ *d* _____ Unordnung in unserem Zimmer.

b) Mein Vater regt sich oft _____ *d* _____ Fehler in meinen Hausaufgaben auf.

c) Wenn ich mich _____ *mei* _____ Vater unterhalten möchte, hat er meistens keine Zeit.

d) Ich möchte abends immer gern _____ *mei* _____ Eltern spielen.

e) Meine Mutter interessiert sich abends nur _____ *d* _____ Fernsehprogramm.

f) Früher kümmerte sich meistens nur die Mutter _____ *d* _____ Kinder.

g) Weil Adele sich sehr _____ Kinder freute, wollte sie lieber heiraten als einen Beruf lernen.

h) Marias Vater starb sehr früh. Ihre Mutter liebte ihn sehr. Deshalb dachte sie mehr _____ *ihr* _____ Mann als _____ *ihr* _____ Tochter.

66   sechsundsechzig

25. Ergänzen Sie.

Nach Übung
13
im Kursbuch

ausziehen	damals	schließlich	unbedingt	Sorgen	anziehen	
verschieden	früh	deutlich	hart	aufpassen	Wunsch	allein	Besuch

a) Obwohl sie Schwestern sind, sehen beide sehr _____ aus.

b) Wir warten schon vier Stunden auf dich. Wir haben uns _____ gemacht.

c) Was kann ich Holger und Renate zur Hochzeit schenken? Haben sie einen besonderen _____?

d) Rainer und Nils sind Brüder. Das sieht man sehr _____.

e) Vor hundert Jahren waren die Familien noch größer. _____ hatte man mehr Kinder.

f) Wenn ihre Mutter nicht zu Hause ist, muss Andrea auf ihren kleinen Bruder _____.

g) Michael ist erst vier Jahre alt, aber er kann sich schon alleine _____ und _____.

h) Weil viele alte Leute wenig _____ bekommen, fühlen sie sich oft _____.

i) Ulrike bekam sehr _____ ein Kind, schon mit 17 Jahren. Zuerst konnten ihre Eltern das nicht verstehen, aber _____ haben sie ihr doch geholfen. Denn für Ulrike war die Zeit mit dem kleinen Kind am Anfang sehr _____.

j) Ulrike wollte schon als Schülerin _____ anders leben als ihre Eltern.

26. Sagen Sie es anders.

Nach Übung
15
im Kursbuch

a) Mein ältester Bruder hat ein neues Auto. Es ist schon kaputt.
Das neue Auto meines ältesten Bruders ist schon kaputt.

b) Mein zweiter Mann hat eine sehr nette Mutter.

c) Meine neue Freundin hat eine Schwester. Die hat geheiratet.

d) Mein jüngstes Kind hat einen Freund. Leider ist er sehr laut.

e) Meine neuen Freunde haben zwei Kinder. Sie gehen schon zur Schule.

f) Ich habe den alten Wagen verkauft, aber der Verkauf war sehr schwierig.

g) Das kleine Kind hat keine Mutter mehr. Sie ist vor zwei Jahren gestorben.

h) In der Hauptstraße ist eine neue Autowerkstatt. Der Chef ist mein Freund.

i) Die schwarzen Schuhe waren kaputt. Die Reparatur hat sehr lange gedauert.

der zweite Mann	die neue Freundin	das jüngste Kind	die neuen Freunde
die Mutter *meines zweiten Mannes*	die Schwester *meiner*	der Freund *m*	die Kinder *m*

der alte Wagen	die neue Werkstatt	das kleine Kind	die blauen Schuhe
der Verkauf *des alten Wagens*	der Chef *d*	die Mutter *d*	die Reparatur *d*

Lektion 5

Nach Übung

15

im Kursbuch

27. Was passt nicht?

a) glücklich sein – sich wohl fühlen – zufrieden sein – sich langweilen
b) erziehen – Schule – Eltern – Jugend – Erziehung – Besuch
c) schlagen – töten – sterben – tot sein
d) möchten – Wunsch – Bitte – bitten – Gesetz – wollen
e) wecken – leben – aufstehen – aufwachen
f) kümmern – fühlen – sorgen – helfen
g) putzen – sich waschen – schwimmen – sich duschen – sauber machen – spülen

Nach Übung

15

im Kursbuch

28. Die Familie Vogel. Ergänzen Sie.

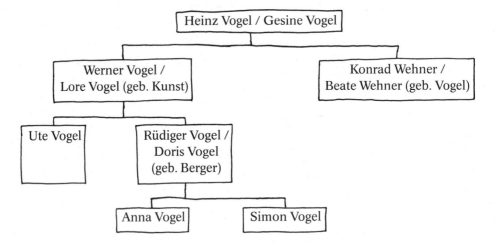

| Urgroßmutter | Tochter | Großmutter | Sohn | Onkel | Tante | Nichte | |
| Urgroßvater | Mutter | Großvater | Eltern | Enkel | Neffe | Vater | Enkelin |

Heinz Vogel / Gesine Vogel

Werner Vogel / Lore Vogel (geb. Kunst)   Konrad Wehner / Beate Wehner (geb. Vogel)

Ute Vogel   Rüdiger Vogel / Doris Vogel (geb. Berger)

Anna Vogel   Simon Vogel

a) Heinz Vogel ist der _____ von Werner Vogel.
b) Werner Vogel ist der _____ von Heinz und Gesine Vogel.
c) Beate Wehner ist die _____ von Heinz und Gesine Vogel.
d) Werner Vogel und Lore Vogel sind die _____ von Rüdiger Vogel.
e) Ute Vogel ist die _____ von Heinz und Gesine Vogel.
f) Lore Vogel ist die _____ von Anna Vogel.
g) Ute Vogel ist die _____ von Konrad Wehner und Beate Wehner.
h) Rüdiger Vogel ist der _____ von Konrad und Beate Wehner.
i) Ute Vogel ist die _____ von Heinz Vogel.
j) Konrad Wehner ist der _____ von Ute Vogel.
k) Werner Vogel ist der _____ von Simon Vogel.
l) Lore Vogel ist die _____ von Ute Vogel.
m) Gesine Vogel ist die _____ von Anna Vogel.
n) Heinz Vogel ist der _____ von Simon Vogel.
o) Simon Vogel ist der _____ von Lore Vogel.

Lektion 6

Wortschatz

Verben

denken an 78
feiern 82
fließen 78
herstellen 81
mitmachen 78

mitnehmen 82
produzieren 81
regnen: es regnet 74
scheinen 78

schneien: es schneit 74
trennen 81
überraschen 78
verbrennen 81

wegwerfen 80
werfen 81
zeigen 75

Nomen

r Abfall, ¨e 81
r Ausflug, ¨e 76
r Bach, ¨e 77
r Bäcker, - 82
r Berg, -e 77
r Boden 74
e/r Deutsche, -n (ein Deutscher) 79
s Dorf, ¨er 77
e Dose, -n 81
s Drittel, - 81
s Eis 74
e Energie, -n 81
s Feld, -er 77
r Filter, - 81
s Fleisch 81
r Fluss, ¨e 77
r Frühling 79
s Gebirge, - 77
s Getränk, -e 80
s Gewitter, - 75

s Gift, -e 81
s Grad, -e 74
e Grenze, -n 78
r Handel 78
r Herbst 75
r Hügel, - 77
e Industrie, -n 78
e Insel, -n 77
r Käse 81
s Klima 74
r Kunststoff, -e 81
s Land, ¨er 76
e Landkarte, -n 79
e Limonade, -n 81
e Lösung, -en 81
e Luft 81
r März 78
s Meer, -e 75
e Menge, -n 81
r Meter, - 75
r Nebel 74
r Norden 75

r Osten 78
(s) Österreich 76
s Papier 81
r Park, -s 77
e Party, -s 82
e Pflanze, -n 74
s Plastik 81
r Rasen 77
r Regen 74
r Saft, ¨e 82
e Schallplatte, -n 79
s Schiff, -e 75
r Schnee 74
r Schnupfen 82
e See 77
r Sommer 75
e Sonne, -n 74
r Stoff, -e 81
r Strand, ¨e 77
e Strecke, -n 81
r Süden 78

s Tal, ¨er 77
s Taschentuch, ¨er 82
r Teil, -e 81
e Temperatur, -en 76
e Tonne, -n 81
s Ufer, - 77
r Wald, ¨er 77
r Wein, -e 79
r Westen 78
r Wetterbericht, -e 75
e Wiese, -n 77
r Wind 74
r Winter 75
e Woche, -n 75
r Wohnort, -e 76
e Wurst, ¨e 81
e Zeichnung, -en 82

Adjektive

allmählich 75
besser 78
deutsch 78
erste 76
flach 78
folgend 74

gleichzeitig 75
heiß 74
herrlich 78
ideal 75
kalt 74
kühl 74

meist- 82
nass 74
persönlich 78
plötzlich 75
sonnig 76
stark 75

täglich 81
trocken 74
typisch 75
warm 74
zweite 76

Funktionswörter

durch 78

wenige 75

zwischen 75

Lektion 6

Ausdrücke

am Tage 75	es regnet 74	gegen Mittag 75	noch nicht 78
baden gehen 76	es schneit 74	immer noch 82	übrig bleiben 82
den ganzen Tag 75	etwas gegen den Müll	jeden Tag 75	von … nach … 78
es gibt 75	tun 82	jedes Jahr 82	
es ist heiß 75	gar nichts 83	noch mehr 82	

Grammatik

Unpersönliches Pronomen „es" (§ 14)

Es ist	kalt. kühl. warm. heiß.	Es ist	trocken. feucht. nass.	Es	regnet. schneit.

<u>Stimmt es</u>, dass Burglind geheiratet hat?
<u>Es ist schade</u>, dass ihr nicht da wart.
<u>Dauert es</u> noch lange?
<u>Es gibt</u> hier nur selten Nebel.
Wie <u>geht's</u>? – <u>Es geht</u>.

Relativsatz (§ 13 und 29)

Welcher See?	Der See, <u>der</u> zwischen Deutschland und der Schweiz liegt.
Welche Stadt?	Die Stadt, <u>deren</u> Kirche man von hier sehen kann.
Welches Gebirge?	Das Gebirge, durch <u>das</u> die Weser fließt.
Welche Antworten?	Die Antworten, mit <u>denen</u> man einen Preis gewinnen kann.

Maskulinum		*Femininum*		*Neutrum*		*Plural*	
der Fluss,	der den dem <u>dessen</u>	die Landschaft,	die die der <u>deren</u>	das Tal,	das das dem <u>dessen</u>	die Berge,	die die <u>denen</u> <u>deren</u>

Lektion 6

Nach Übung

1

im Kursbuch

1. Welche Adjektive passen am besten?

a) Herbst, Regen, 8° C: _____ und _____
b) Sommer, 35° C, Sonne: _____ und _____
c) Winter, Schnee, −8° C: _____
d) Herbst, Nebel, 9° C: _____ und _____
e) Frühling, Sonne, 20° C: _____ und _____

> trocken warm
> kühl
> nass heiß
> kalt
> feucht

Nach Übung

2

im Kursbuch

2. Wie ist das Wetter? Was kann man sagen?

stark	angenehm	groß	freundlich	schön	billig	gut	schlecht	mild
höflich	hübsch	unfreundlich	unangenehm	nett	glücklich	gleichzeitig		

Das Wetter ist
angenehm, ...

Nach Übung

2

im Kursbuch

3. Ordnen Sie.

Landschaft/Natur	Wetter

Tier	Pflanze	Gewitter	Grad	Meer
Regen	Berg	Klima	Blume	Insel
Wind	See	Strand	Fluss	Wald
Wolke	Schnee	Eis	Boden	Wiese
Sonne	Park	Nebel	Baum	

Nach Übung

2

im Kursbuch

4. Drei Wörter passen nicht.

a) Der Regen ist | sehr / ziemlich / furchtbar / viel / zu viel / ganz / besonders / ein paar | stark.

c) Gestern gab es | viel / sehr / wenig / etwas / ein bisschen / besonders / ganz / keinen | Regen.

b) Es gibt hier | viele / ein bisschen / wenige / keine / sehr / ein paar / einige / zu viele / besonders | Tiere.

d) Es gibt hier | nie / selten / oft / ganz / wenig / keinen / häufig / manchmal / einige / zu viele | Regen.

Lektion 6

Nach Übung

2

im Kursbuch

5. Sagen Sie es anders. Verwenden Sie die folgenden Wörter.

es gibt…   es geht…   es regnet…
es schneit…   es klappt…   es ist…

a) In Bombay kennt man keinen Schnee.
   In Bombay _____ nie.

b) Der Regen hat aufgehört. Wir können jetzt schwimmen gehen.
   _____ nicht mehr. Wir können jetzt schwimmen gehen.

c) Hör mal! Da kommt gleich ein Gewitter.
   Hör mal! Gleich _____ ein Gewitter.

d) Heute habe ich keine Zeit.
   Heute _____ nicht.

e) Das Telefon ist immer besetzt. Du hast vielleicht mehr Glück, wenn du später anrufst.
   Das Telefon ist immer besetzt. Vielleicht _____, wenn du später anrufst.

f) Das Wetter ist so kalt, dass die Kinder nicht im Garten spielen können.
   _____, dass die Kinder nicht im Garten spielen können.

g) Wo kann man hier telefonieren?
   Wo _____ hier ein Telefon?

Nach Übung

2

im Kursbuch

6. Ergänzen Sie.

Die Pronomen „er", „sie" und „es" bedeuten in einem Text gewöhnlich ganz bestimmte Sachen, zum Beispiel „der Film" = „er", „die Rechnung" = „sie" oder „das Hotel" = „es". Das Pronomen „es" kann aber auch eine allgemeine Sache bedeuten, zum Beispiel „Es ist sehr kalt hier." oder „Es schmeckt sehr gut." Ergänzen Sie in den folgenden Sätzen die Pronomen „er", „sie" und „es".

a) Wie hast du die Suppe gemacht? _____ schmeckt ausgezeichnet.
b) Dein Mann kocht wirklich sehr gut. _____ schmeckt ausgezeichnet.
c) Seit drei Tagen nehme ich Tabletten. Trotzdem tut _____ noch sehr weh.
d) Ich kann mit dem rechten Arm nicht arbeiten. _____ tut sehr weh.
e) Ich habe die Rechnung geprüft. _____ stimmt ganz genau.
f) Du kannst mir glauben. _____ stimmt ganz genau.
g) Sie brauchen keinen Schlüssel. _____ ist immer auf.
h) Es gibt keinen Schlüssel für diese Tür. _____ ist immer auf.
i) Morgen kann ich kommen. Da passt _____ mir sehr gut.
j) Dieser Termin ist sehr günstig. _____ passt mir sehr gut.
k) Der Spiegel war nicht teuer. _____ hat nur 14 Mark gekostet.
l) Ich habe nicht viel bezahlt. _____ hat nur 14 Mark gekostet.
m) Können Sie bitte warten? _____ dauert nur noch 10 Minuten.
n) Der Film ist gleich zu Ende. _____ dauert nur noch zehn Minuten.

In welchen Sätzen wird das allgemeine Pronomen „es" verwendet?

a)	b)	c)	d)	e)	f)	g)	h)	i)	j)	k)	l)	m)	n)

7. Ordnen Sie.

plötzlich	für wenige Wochen	jeden Tag	gegen Mittag	langsam	täglich
im Herbst	nachts	am Tage	jedes Jahr	manchmal	selten	allmählich
fünf Jahre	ein paar Monate	zwischen Sommer und Winter	wenige Tage

wie?	wie oft?	wann?	wie lange?
plötzlich,	jeden Tag,	gegen Mittag,	für wenige Wochen,

8. Ergänzen Sie.

Nо

$\longleftrightarrow$ $\updownarrow$ $\longrightarrow$

9. Ergänzen Sie.

a) Juni, Juli, August = _____
b) September, Oktober, November = _____
c) Dezember, Januar, Februar = _____
d) März, April, Mai = _____

10. Ergänzen Sie.

| am Nachmittag | früh am Morgen | spät am Abend |
| am Mittag | vor zwei Tagen | in zwei Tagen |

a) vorgestern – _____
b) spät abends – _____
c) mittags – _____
d) übermorgen – _____
e) früh morgens – _____
f) nachmittags – _____

11. Was passt?

| am späten Nachmittag | am Abend | am Mittag | am frühen Nachmittag |
| früh abends | spätabends | frühmorgens | am frühen Vormittag |

a) 12.00 Uhr – *am Mittag* _____
b) 18.30 Uhr – _____
c) 23.00 Uhr – _____
d) 13.30 Uhr – _____
e) 17.30 Uhr – _____
f) 6.00 Uhr – _____
g) 8.00 Uhr – _____
h) 20.00 Uhr – _____

Lektion 6

Nach Übung

4

im Kursbuch

12. Ergänzen Sie.

Heute ist Sonntag. Dann ist (war)…

a) gestern Mittag: *Samstagmittag*

b) vorgestern Mittag: _____

c) übermorgen Abend: _____

d) morgen Vormittag: _____

e) morgen Nachmittag: _____

f) gestern Morgen: _____

Nach Übung

4

im Kursbuch

13. Was passt wo? Ordnen Sie.

selten	nie	im Winter	bald	nachts	ein paar Minuten	kurze Zeit

selten   nie   im Winter   bald   nachts   ein paar Minuten   kurze Zeit
oft   vorige Woche   den ganzen Tag   einige Jahre   damals   vorgestern   7 Tage
jetzt   früher   letzten Monat   am Abend   nächstes Jahr   immer   heute Abend
frühmorgens   heute   sofort   jeden Tag   gegen Mittag   gleich   für eine Woche
um 8 Uhr   am Nachmittag   wenige Wochen   diesen Monat   fünf Stunden
am frühen Nachmittag   meistens   am Tage   manchmal   mittags   morgen

Wann?	Wie oft?	Wie lange?
im Winter	*selten*	*ein paar Minuten*

Nach Übung

4

im Kursbuch

14. Wann ist das? Wann war das?

Heute ist Dienstag, der 13. Oktober 1996

nächst-	dies-	vorig-/letzt-

a) November 1996? *nächsten Monat*

b) 1995? _____

c) 22. Oktober 1996? _____

d) 1997? _____

e) September 1996? _____

f) Oktober 1996? _____

g) 1996? _____

h) 5. Oktober 1996? _____

Nach Übung

6

im Kursbuch

15. Ihre Grammatik. Ergänzen Sie die Zeitangaben im Akkusativ.

der Monat	die Woche	das Jahr
den ganz *en* Monat	die ganz_____ Woche	das ganz_____ Jahr
letzt_____ Monat	letzt_____ Woche	letzt_____ Jahr
vorig_____ Monat	vorig_____ Woche	vorig_____ Jahr
nächst_____ Monat	nächst_____ Woche	nächst_____ Jahr
dies_____ Monat	dies_____ Woche	dies_____ Jahr
jed_____ Monat	jed_____ Woche	jed_____ Jahr

16. Schreiben Sie.

a) Andrew Stevens aus England schreibt an seinen Freund John:
- ist seit 6 Monaten in München Wetter: Föhn oft schlimm
- bekommt Kopfschmerzen
- kann nicht in die Firma gehen
- freut sich auf England

Schreiben Sie die zwei Karten zu b) und c).

Lieb ...
ich ... Hier ... so ..., dass ...
Dann ... Deshalb ...

> Lieber John,
>
> ich bin jetzt seit sechs Monaten in München. Hier ist der Föhn oft so schlimm, dass ich Kopfschmerzen bekomme. Dann kann ich nicht in die Firma gehen. Deshalb freue ich mich, wenn ich wieder zu Hause in England bin.
>
> Viele Grüße,
> Dein Andrew

b) Herminda Victoria aus Mexiko schreibt an ihre Mutter:
- studiert seit 8 Wochen in Bielefeld
- Wetter: kalt und feucht
- ist oft stark erkältet
- muss viele Medikamente nehmen
- fährt in den Semesterferien zwei Monate nach Spanien

c) Benno Harms aus Gelsenkirchen schreibt an seinen Freund Karl:
- ist Lehrer an einer Technikerschule in Bombay
- Klima: feucht und heiß
- bekommt oft Fieber
- kann nichts essen und nicht arbeiten
- möchte wieder zu Hause arbeiten

17. Was passt nicht?

a) See – Strand – Fluss – Bach
b) Tal – Hügel – Gebirge – Berg
c) Dorf – Stadt – Ort – Insel
d) Feld – Wiese – Ufer – Rasen

18. Ergänzen Sie „zum Schluss", „deshalb", „denn", „also", „dann", „übrigens", „und", „da", „trotzdem" und „aber".

Warum nur Sommerurlaub an der Nordsee?

Auch der Herbst ist schön. Es ist richtig, dass der Sommer an der Nordsee besonders schön ist. _____ (a) kennen Sie auch schon den Herbst bei uns? _____ (b) gibt es sicher weniger Sonne und baden können Sie auch nicht. _____ (c) gibt es nicht so viel Regen, wie Sie vielleicht glauben. Natur und Landschaft gehören Ihnen im Herbst ganz allein, _____ (d) die meisten Feriengäste sind jetzt wieder zu Hause. Sie treffen _____ (e) am Strand nur noch wenige Leute, _____ (f) in den Restaurants haben die Bedienungen wieder viel Zeit für Sie. Machen Sie _____ (g) auch einmal Herbsturlaub an der Nordsee. _____ (h) sind Hotels und Pensionen in dieser Zeit besonders preiswert. _____ (i) noch ein Tip: Herbst bedeutet natürlich auch Wind. _____ (j) sollten Sie warme Kleidung nicht vergessen.

Lektion 6

19. Wo möchten die Leute wohnen?

a)

…nicht sehr tief ist. (1)
…nur wenige Leute kennen. (2)
…man segeln kann. (3)
…man gut schwimmen kann. (4)

…Wasser warm ist. (5)
…es viele Fische gibt. (6)
…es keine Hotels gibt. (7)
…es mittags immer Wind gibt. (8)

b)

…ganz allein im Meer liegt.
…keinen Flughafen hat.
…nur wenige Menschen wohnen.
…es keine Industrie gibt.

…man nur mit einem Schiff kommen kann.
…Strand weiß und warm ist.
…es noch keinen Namen gibt.
…immer die Sonne scheint.

c)

…schöne Landschaften hat.
…das Klima trocken und warm ist.
…Sprache ich gut verstehe.
…die Luft noch sauber ist.

…man keinen Regenschirm braucht.
…sich alle Leute wohl fühlen.
…man immer interessant findet.
…Leute freundlich sind.

d)

…viele Parks haben.
…Straßen nicht so groß sind.
…noch Straßenbahnen haben.
…ein großer Fluss fließt.

…viele Brücken haben.
…man nachts ohne Angst spazieren gehen kann.
…sich die Touristen nicht interessieren.
…man sich frei fühlt.

an dem	auf dem	über der	deren	dessen	den	für die
durch die	zu der		in denen		in dem	
für das	auf der	denen		die	der	das

a) *Ich möchte an einem See wohnen*, *der nicht sehr tief ist.* _____ (1)

_____, *den nur wenige Leute kennen.* ___ (2)

_____, *auf…* _____ (3)

_____ (4)

_____ (5)

_____ (6)

_____ (7)

_____ (8)

b) _____

  …

c) …

d) …

Ihre Grammatik. Ergänzen Sie die Sätze (1) bis (8) aus a).

Vorfeld	Verb$_1$	Subjekt	Erg.	Angabe	Ergänzung	Verb$_2$	Verb$_1$ im Nebensatz
Ich	*möchte*				*an einem See*	*wohnen,*	
(1) *der*				*nicht*	*sehr tief*		*ist.*
(2)							
(3)							
(4)							
(5)							
(6)							
(7)							
(8)							

20. Welche Nomen passen zusammen?

Nach Übung

14

im Kursbuch

Gerät	Fleisch	Pflanze	Temperatur	Bäcker	Tonne	Abfall	Gift	Benzin	Plastik
Strom	Regen	Schallplatte	Käse	Limonade	Schnupfen	Strecke	Medikament		

a) Maschine – _____

b) Müll – _____

c) Öl – _____

d) Erde – _____

e) Wasser – _____

f) Energie – _____

g) Tablette – _____

h) Kilogramm – _____

i) Gefahr – _____

j) Kunststoff – _____

k) 10 Grad – _____

l) 30 Kilometer – _____

m) Musik – _____

n) Getränk – _____

o) Brot – _____

p) Erkältung – _____

q) Wurst – _____

r) Milch – _____

Lektion 6

Nach Übung

14

im Kursbuch

21. Herr Janßen macht es andes. Schreiben Sie.

a) kein Geschirr aus Kunststoff benutzen – nach dem Essen wegwerfen müssen
Er benutzt kein Geschirr aus Kunststoff, das man nach dem Essen wegwerfen muss.

b) Putzmittel kaufen – nicht giftig sein

c) auf Papier schreiben – aus Altpapier gemacht sein

d) kein Obst in Dosen kaufen – auch frisch bekommen können

e) Saft trinken – in Pfandflaschen geben

f) Tochter Spielzeug schenken – nicht so leicht kaputtmachen können

g) Brot kaufen – nicht in Plastiktüten verpackt sein

h) Eis essen – keine Verpackung haben

i) keine Produkte kaufen – nicht unbedingt brauchen

Nach Übung

14

im Kursbuch

22. Was für Dinge sind das?

a) Blechdose – *eine Dose aus Blech*

b) Teedose – *eine Dose für Tee*

c) Holzspielzeug – _____

d) Plastikdose – _____

e) Suppenlöffel – _____

f) Kunststofftasse – _____

g) Wassereimer – _____

h) Kuchengabel – _____

i) Weinglas – _____

j) Papiertaschentuch – _____

k) Glasflasche – _____

l) Brotmesser – _____

m) Suppentopf – _____

n) Kinderspielzeug – _____

o) Kaffeetasse – _____

p) Milchflasche – _____

q) Papiertüte – _____

r) Kleiderschrank – _____

s) Papiercontainer – _____

t) Steinhaus – _____

u) Steinwand – _____

v) Goldschmuck – _____

Nach Übung

14

im Kursbuch

23. Sagen Sie es anders.

a) Man wäscht die leeren Flaschen und füllt sie dann wieder.
Die leeren Flaschen werden gewaschen und dann wieder gefüllt.

b) Jedes Jahr werfen wir in Deutschland 30 Millionen Tonnen Abfall auf den Müll.

c) In Aschaffenburg sortiert man den Müll im Haushalt.

d) Durch gefährlichen Müll vergiften wir den Boden und das Grundwasser.

e) Ein Drittel des Mülls verbrennt man in Müllverbrennungsanlagen.

f) Altglas, Altpapier und Altkleider sammelt man in öffentlichen Containern.

g) Nur den Restmüll wirft man noch in die normale Mülltonne.

h) In Aschaffenburg kontrolliert man den Inhalt der Mülltonnen.

i) Auf öffentlichen Feiern in Aschaffenburg benutzt man kein Plastikgeschirr.

j) Vielleicht verbietet man bald alle Getränke in Dosen und Plastikflaschen.

24. Was wäre, wenn?

Nach Übung

14

im Kursbuch

a) weniger Müll produzieren → weniger Müll verbrennen müssen
Wenn man weniger Müll produzieren würde, dann müsste man weniger Müll verbrennen.

b) einen Zug mit unserem Müll füllen → 12 500 Kilometer lang sein

c) weniger Verpackungsmaterial produzieren → viel Energie sparen können

d) alte Glasflaschen sammeln → daraus neue Flaschen herstellen können

e) weniger chemische Produkte produzieren → weniger Gift im Grundwasser und im Boden haben

f) Küchen- und Gartenabfälle sammeln → daraus Pflanzenerde machen können

g) weniger Müll verbrennen → weniger Giftstoffe in die Luft kommen

25. Was passt?

Nach Übung

14

im Kursbuch

| mitmachen | überraschen | machen | produzieren | spielen | verbrennen |

a) einen Spaziergang
eine Party
Kaffee
das Mittagessen
das Radio lauter
den Rock kürzer
ein Bücherregal _____

b) mit den Kindern
Tennis
Theater
Klavier
Schach _____

c) das Papier im Ofen
den Müll
die Zeitungen
das Holz _____

d) Schreibmaschinen
Autos
Müll
Papier _____

e) meinen Bruder
Frau Ludwig
meine Chefin
meine Kollegin _____

f) bei einer Arbeit
bei einem Quiz
bei einem Spiel _____

26. Was passt am besten?

Nach Übung

14

im Kursbuch

| scheinen | baden gehen | herstellen | wegwerfen | fließen |
| feiern | | übrig bleiben | zeigen | |

a) Sonne – _____
b) Müll – _____
c) Schwimmbad – _____
d) Rest – _____

e) Fluss – _____
f) Hochzeit – _____
g) Industrie – _____
h) Finger – _____

Lektion 7

Wortschatz

Verben

beantragen 86
besorgen 86
bestellen 86
da sein 93
denken 94
einigen 89
einwandern 95
empfehlen 91

erkennen 92
erledigen 87
fahren 87
fliegen 86
gelten 90
gewöhnen 94
glauben an 92
klagen 94

packen 86
planen 89
reinigen 86
reisen 90
reservieren 86
retten 89
steigen 95
üben 87

untersuchen 86
verlassen 95
vorschlagen 89
waschen 86
wiegen 86
zumachen 86

Nomen

e Apotheke, -n 86
e Art, -en 91
s Ausland 86
r Ausländer, - 92
r Ausweis, -e 86
e Änderung, -en 95
e Bahn, -en 86
r Bauer, -n 95
e Bedeutung, -en 94
e Bedienung, -en 91
e Besitzerin, -nen 92
s Betttuch, ¨er 86
s Blatt, ¨er 89
r Bleistift, -e 89
e Briefmarke, -n 89
e Buchhandlung, -en 91
s Camping 87

(s) Deutschland 93
e Diskussion, -en 95
e Drogerie, -n 86
s Einkommen, - 93
e Erfahrung, -en 91
e Fahrkarte, -n 86
r Fahrplan, ¨e 86
s Fenster, - 86
r Flug, ¨e 87
r Flughafen, ¨ 86
s Flugzeug, -e 86
r Fotoapparat, -e 89
e Fremdsprache, -n 91
e Freundschaft, -en 91
r Gast, ¨e 91
s Gefühl, -e 93
s Handtuch, ¨er 86
e Heimat 91

s Hotel, -s 87
e Jugendherberge, -n 91
r Kaffee 86
e Kellnerin, -nen 92
r Koffer, - 86
r Kontakt, -e 91
r Krankenschein, -e 86
r Lehrling, -e 91
s Licht 86
e Liste, -n 87
s Medikament, -e 86
e Mode, -n 91
e Natur 93
r Pass, ¨e 86
s Pech 88
e Pension, -en 92
s Pflaster 86
e Presse 95
e Regel, -n 91

e Reise, -n 86
s Salz 89
r Schirm, -e 86
r Schlüssel, - 86
r Schnaps, ¨e 89
r Schweizer, - 86
e Schwierigkeit, -en 91
e Seife, -n 86
s Streichholz, ¨er 89
e Tasche, -n 91
s Telefonbuch, ¨er 89
r Tourist, -en 92
e/r Verwandte, -n (ein Verwandter) 95
s Visum, Visa 86
e Wäsche 86
e Zahnbürste, -n 86
e Zahnpasta, -pasten 86
r Zweck, -e 88

Adjektive

amerikanisch 90
berufstätig 94

durstig 92
eben 91

notwendig 89
sozial 93

vorig- 88
zuverlässig 93

Adverbien

also 88	höchstens 93	raus 91	zurück 93
außerhalb 94	normalerweise 88	überhaupt 94	
endlich 88	oben 88	unten 89	

Funktionswörter

alles 91	in 87	sondern 93	wer 90
damit 95	nicht nur …	sowohl … als auch	woher 86
daran 94	sondern auch …	… 91	wohin 86
darauf 91	93	um … zu … 95	zwar … aber … 90
derselbe 94	ob 90	weder … noch … 88	

Ausdrücke

Angst haben 91	ein paar 90	immer mehr 95	nur noch 94
dafür sein 89	ernst nehmen 91	immer wieder 90	vorbei sein 93
die Prüfung	für … sein 95	noch etwas 93	was für 92
bestehen 90	genau das 93	noch immer 91	wie groß 93

Grammatik

„zum" + Infinitiv (§ 32)

Wofür braucht man Wasser? – Wasser braucht man zum Kochen.
Die Zahnbürste ist zum Leben nicht unbedingt notwendig.
Den Fotoapparat lasse ich reparieren, der ist zum Wegwerfen zu schade.

Indirekter Fragesatz (§ 26)

Indirekte Satzfrage:	Die Leute fragen,	ob man eine Arbeitserlaubnis braucht.
Indirekte Wortfrage:	Sie möchten wissen,	wer eine Arbeitserlaubnis bekommt.
	Sag ihnen bitte,	wie man die Arbeitserlaubnis bekommt.
	Erklären Sie ihnen,	wohin man gehen muss.

Infinitiv mit „um zu"; Subjunktor „damit" (§ 24 und 31)

Herr Neudel wandert aus, damit er mehr verdienen kann.

      die gleiche Person → Herr Neudel wandert aus um mehr zu verdienen.

Herr Neudel wandert aus, damit seine Frau auch eine Stelle findet.

      eine andere Person → Kein Infinitiv mit „um zu" möglich!

Lektion 7

Nach Übung

2

im Kursbuch

1. Ergänzen Sie.

a) Nase : Taschentuch / Hand : _____

b) starke Verletzung : Verband / kleine Verletzung : _____

c) Hand : Seife / Zähne : _____

d) Frau : Bluse / Mann : _____

e) aufschließen : offen / abschließen : _____

f) wie groß? : messen / wie schwer? : _____

g) aufschließen : aufmachen / abschließen : _____

h) D : Deutscher / CH : _____

i) Sonne : Sonnenhut / Regen : _____

j) Flugzeug : Flugplan / Zug : _____

k) Lehrer : prüfen / Arzt : _____

l) Fenster : zumachen / Licht : _____

m) Auto : Motor / Taschenlampe : _____

n) eigenes Land : Inland / fremdes Land : _____

o) Auto : fahren / Flugzeug : _____

p) Bahnhof : Bahn / Flughafen : _____

q) kurz : Ausflug / lang : _____

r) mit Wasser : Kleidung waschen / chemisch : _____

Nach Übung

2

im Kursbuch

2. Was muss man vor einer Reise erledigen? Ordnen Sie.

Motor prüfen lassen   Wagen waschen lassen   Koffer packen   Heizung ausmachen

Fahrplan besorgen   Benzin tanken   Medikamente kaufen   Fenster zumachen

sich impfen lassen   Geld wechseln   Fahrkarten holen   Wäsche waschen

Krankenschein holen   Reiseschecks besorgen   Hotelzimmer reservieren

zu Hause	im Reisebüro	für das Auto	Gesundheit	Bank

Nach Übung

2

im Kursbuch

3. Was passt zusammen? Ordnen Sie. Einige Wörter passen zweimal.

Schirm   Herd   Flasche   Auto   Hemd   Haus   Tasche   Motor   Licht
Hotelzimmer   Auge   Koffer   Heizung   Ofen   Radio   Fernseher   Buch   Tür

ausmachen/anmachen	zumachen/aufmachen	abschließen/aufschließen

4. Ergänzen Sie.

Nach Übung

2

im Kursbuch

| ein- | weg- | weiter- | mit- | zurück- | aus- |

a) Die Milch war sauer. Ich musste sie leider _____gießen.

b) Hast du Durst? Soll ich dir ein Glas Limonade _____gießen?

c) Viel Spaß in Amerika! Am liebsten möchte ich _____fliegen.

d) Ich bleibe drei Wochen in den USA. Am 4. Oktober fliege ich nach Hause
_____.

e) Wenn Jugendliche Streit mit ihren Eltern haben, passiert es oft, dass sie von zu Hause
_____laufen.

f) Wir haben den gleichen Weg, ich kann bis zur Kirche _____laufen.

g) Lass uns eine Pause machen. Ich kann nicht mehr _____laufen.

h) Du fährst doch in die Stadt. Kannst du mich bitte _____nehmen?

i) ○ Ich habe gestern diese Strümpfe bei Ihnen gekauft, aber sie passen nicht.
   □ Tut mir leid, aber Strümpfe können wir nicht _____nehmen.

j) Die Post war leider schon geschlossen. Ich kann das Paket erst morgen früh
_____schicken.

k) Wenn im Sommer das Hotel voll ist, müssen die Kinder des Besitzers
_____arbeiten.

l) Fußball spielen macht mir großen Spaß. Lasst ihr mich _____spielen?

m) ○ Wollen die Kinder nicht zum Essen kommen?
   □ Nein, sie wollen lieber _____spielen.

n) Warum willst du denn diese Schuhe _____werfen? Sie sind doch noch ganz
neu!

o) Ich gehe ins Schwimmbad. Willst du _____kommen?

p) Erich ist schon drei Wochen im Urlaub. Wann wollte er denn _____kommen?

q) Wenn ich die Wohnung putze, will meine kleine Tochter immer _____helfen.

r) Ich komme gleich, ich will nur noch mein Bier _____trinken.

s) Ich habe gerade Tee gekocht. Willst Du eine Tasse _____trinken?

t) Wenn ich im Hotelzimmer bin, will ich erst duschen und dann in Ruhe meinen Koffer
_____packen.

u) Darf man ohne Visum in die USA _____reisen?

v) Du musst jetzt schnell _____steigen, sonst fährt der Zug ohne dich ab.

w) ○ Verzeihung, ich möchte zum Rathausplatz. Muss ich an der nächsten Haltestelle
_____steigen?
   □ Nein, sie müssen noch zwei Stationen _____fahren.

5. „Lassen" hat verschiedene Bedeutungen.

Nach Übung

4

im Kursbuch

A. Meine Eltern lassen mich abends nicht alleine weggehen.
   (*„lassen" = erlauben/zulassen, „nicht lassen" = verbieten*)

B. Ich gehe morgen zum Tierarzt und lasse den Hund untersuchen.
   *„lassen" = eine andere Person soll etwas machen, das man selbst nicht machen kann oder
   möchte.*

Lektion 7

Welche Bedeutung (A oder B) hat „lassen" in den folgenden Sätzen?

a) Am Wochenende lassen wir die Kinder abends fernsehen.
b) Wo lassen Sie Ihr Auto reparieren?
c) Die Briefe lasse ich von meiner Sekretärin schreiben.
d) Sie lässt ihren Mann in der Wohnung nicht rauchen.
e) Du musst dir unbedingt die Haare schneiden lassen. Sie sind zu lang.
f) Lass mich kochen. Ich kann das besser.
g) Lass ihn doch Musik hören. Er stört uns doch nicht.
h) Ich möchte die Bremsen prüfen lassen.
i) Bitte lass mich schlafen. Ich bin sehr müde.

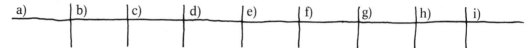

a)   b)   c)   d)   e)   f)   g)   h)   i)

Nach Übung

4

im Kursbuch

6. Sagen Sie es anders.

a) Eva darf im Büro nicht telefonieren. Ihr Chef will das nicht.
   Ihr Chef lässt sie im Büro nicht telefonieren.

b) Ich möchte gern allein Urlaub machen, aber meine Eltern verbieten es.
c) Frau Taber macht das Essen lieber selbst, obwohl ihr Mann gerne kocht.
d) Rolfs Mutter ist einverstanden, dass er morgens lange schläft.
e) Herr Moser geht zum Tierarzt. Dort wird seine Katze geimpft.
f) Mein Pass muss verlängert werden.
g) Den Motor kann ich nicht selbst reparieren.
h) Ich habe einen Hund. Gisela darf mit ihm spielen.
i) Ingrid hat keine Zeit die Wäsche zu waschen. Sie bringt sie in die Reinigung.
j) Herr Siems fährt nicht gern Auto. Deshalb muss seine Frau immer fahren.

Nach Übung

4

im Kursbuch

7. Schreiben Sie einen Text.

Herr Schulz will mit seiner Familie verreisen. Am Tag vor der Reise hat er noch viel zu tun.

Zuerst geht Herr Schulz zum Rathaus. Dort werden die Pässe und die Kinderausweise verlängert. Dann geht er zum Tierarzt. Der untersucht die Katze. In die Autowerkstatt fährt er auch noch. Die Bremsen ziehen nach links und müssen kontrolliert werden. Im Fotogeschäft repariert man ihm schnell den Fotoapparat. Später hat er noch Zeit zum Friseur zu gehen, denn seine Haare müssen geschnitten werden. Zum Schluss fährt er zur Tankstelle und tankt. Das Öl und die Reifen werden auch noch geprüft. Dann fährt er nach Hause. Er packt den Koffer selbst, weil er nicht möchte, dass seine Frau das tut. Dann ist er endlich fertig.

Schreiben Sie den Text neu. Verwenden Sie möglichst oft das Wort „lassen". Benutzen Sie auch Wörter wie „zuerst", „dann", „später", „schließlich", „nämlich", „dort" und „bei", „in", „auf", „an"

Zuerst lässt Herr Schulz im Rathaus die Pässe und die Kinderausweise verlängern. Dann geht er ...

8. Was passt nicht?

Nach Übung

6

im Kursbuch

a) Ofen – Gas – Öl – Kohle
b) Bleistift – Schlüssel – Schreibmaschine – Kugelschreiber
c) Krankenschein – Pass – Ausweis – Visum
d) Streichholz – Zigarette – Blatt – Feuer
e) Salz – Topf – Dose – Flasche – Tasche
f) Film – Fotoapparat – Foto – Papier
g) Messer – Uhr – Gabel – Löffel
h) Seife – Metall – Plastik – Wolle
i) Handtuch – Wolldecke – Pflaster – Betttuch
j) Fahrrad – Flug – Autofahrt – Schiffsfahrt
k) Visum – Pass – Liste – Ausweis
l) Seife – Zahnpasta – Waschmaschine – Zahnbürste
m) Liste – Zweck – Grund – Ziel
n) Campingplatz – Hotel – Telefonbuch – Pension
o) notwendig – unbedingt – auf jeden Fall – normalerweise
p) oben – üben – über – unten – unter
q) Saft – Bier – Wein – Schnaps

9. Ergänzen Sie.

Nach Übung

6

im Kursbuch

| bestellen überzeugen erledigen beantragen planen buchen retten einigen reservieren |

a) Das Restaurant ist immer voll. Wir müssen einen Tisch _____ lassen.
b) Klaus hat seine Reise sehr genau _____. Sogar das Taxi, das ihn vom Bahnhof zum Hotel bringen soll, hat er vorher bestellt.
c) Meine Urlaubsreisen _____ ich immer im Reisebüro in der Bergstraße. Die Angestellten dort sind sehr nett.
d) Das Visum für dieses Land muss man vier Wochen vor der Reise _____.
e) Der Fotoapparat, den Sie möchten, ist leider nicht da. Ich kann ihn aber _____. Das dauert ungefähr 10 Tage.
f) Am Anfang gab es sehr viele verschiedene Meinungen. Aber zum Schluss haben wir uns doch noch _____.
g) Also gut, ich bin einverstanden. Du hast mich _____.
h) Auf dem Rhein gab es gestern ein großes Schiffsunglück, aber alle Menschen konnten _____ werden.
i) Es ist zwar schon Feierabend, aber diese Arbeit müssen Sie unbedingt heute noch _____.

10. Ergänzen Sie „nicht", „nichts" oder „kein-".

Nach Übung

6

im Kursbuch

a) Auf dem Mond braucht man _____ Kompass, auch ein Ofen würde dort _____ funktionieren.
b) Auf einer einsamen Insel braucht man bestimmt _____ Telefonbuch. Auch Benzin ist _____ notwendig, weil es dort _____ Autos gibt. Reiseschecks muss man auch _____ mitnehmen, denn dort kann man _____ kaufen, weil es _____ Geschäfte gibt.
c) In der Sahara regnet es _____. Deshalb muss man auch _____ Schirm mitnehmen. Dort braucht man Wasser und einen Kompass, sonst _____.

Lektion 7

Nach Übung

6

im Kursbuch

11. Ordnen Sie.

Ich schlage vor Benzin mitzunehmen.
Ich finde auch, dass wir Benzin mitnehmen müssen.
Wir sollten Benzin mitnehmen.
Ich meine, dass wir Benzin mitnehmen sollten.
Ich bin dagegen Benzin mitzunehmen.
Benzin? Das ist nicht notwendig.
Stimmt! Benzin ist wichtig.
Ich finde es wichtig Benzin mitzunehmen.
Es ist Unsinn Benzin mitzunehmen.

Ich bin auch der Meinung, dass wir Benzin mitnehmen sollten.
Wir müssen unbedingt Benzin mitnehmen. Das ist wichtig.
Benzin ist nicht wichtig, ein Kompass wäre wichtiger.
Ich bin nicht der Meinung, dass Benzin wichtig ist.
Ich würde Benzin mitnehmen.
Ich bin einverstanden, dass wir Benzin mitnehmen.

etwas vorschlagen	die gleiche Meinung haben	eine andere Meinung haben
Ich schlage vor Benzin mitzunehmen.	*Ich finde auch, dass wir Benzin mitnehmen müssen.*	*Ich bin dagegen Benzin mitzunehmen.*

Nach Übung

6

im Kursbuch

12. Sagen Sie es anders.

a) Wenn man waschen will, braucht man Wasser.
Zum Waschen braucht man Wasser.

b) Wenn man kochen will, braucht man einen Herd.
c) Wenn man Ski fahren will, braucht man Schnee.
d) Wenn man schreiben will, braucht man Papier und einen Kugelschreiber.
e) Wenn man fotografieren will, braucht man einen Fotoapparat und einen Film.
f) Wenn man telefonieren muss, braucht man oft ein Telefonbuch.
g) Wenn man liest, sollte man gutes Licht haben.
h) Wenn man schlafen will, braucht man Ruhe.
i) Wenn man wandert, sollte man gute Schuhe haben.
j) Wenn ich lese, brauche ich eine Brille.

Nach Übung

7

im Kursbuch

13. Welches Fragewort passt?

a) *Wer / Wohin / Wo*   kann ich eine Arbeitserlaubnis bekommen?
b) *Womit / Wie viel / Was*   kann ich im Ausland am meisten Geld verdienen?
c) *Worauf / Warum / Womit*   braucht man für die USA ein Visum?
d) *Wer / Woher / Woran*   kann mir bei der Reiseplanung helfen?
e) *Wie / Wer / Was*   finde ich im Ausland am schnellsten Freunde?
f) *Was / Wie viel / Wie*   Gepäck kann ich im Flugzeug mitnehmen?
g) *Wann / Womit / Wo*   lasse ich meine Katze, wenn ich im Urlaub bin?
h) *Wohin / Woher / Wofür*   kann ich ohne Visum reisen?
i) *Was / Wer / Woher*   bekomme ich alle Informationen?
j) *Woran / Wohin / Worauf*   muss ich vor der Abreise denken?
k) *Wie / Was / Wo*   muss ich machen, wenn ich im Ausland krank werde?

14. Sagen Sie es anders.

Nach Übung
7
im Kursbuch

a) Ute überlegt: Soll ich in Spanien oder in Italien arbeiten?
Ute überlegt, ob sie in Spanien oder in Italien arbeiten soll.

b) Stefan und Bernd fragen sich: Bekommen wir beide eine Arbeitserlaubnis?
c) Herr Braun möchte wissen: Wo kann ich ein Visum beantragen?
d) Ich frage mich: Wie schnell kann ich im Ausland eine Stelle finden?
e) Herr Klar weiß nicht: Wie lange darf man in den USA bleiben?
f) Frau Seger weiß nicht: Sind meine Englischkenntnisse gut genug?
g) Frau Möller fragt sich: Wieviel Geld brauche ich in Portugal?
h) Herr Wend weiß nicht: Wie teuer ist die Fahrkarte nach Spanien?
i) Es interessiert mich: Kann man in London leicht eine Wohnung finden?

Ihre Grammatik. Ergänzen Sie die Sätze b), c) und d).

Junkt.	Vorfeld	Verb₁	Subjekt	Erg.	Angabe	Ergänzung	Verb₂	Verb₁ im Nebensatz
a)	*Ute*	*überlegt*						
ob			*sie*			*in Spanien oder in Italien*	*arbeiten*	*soll.*
b)	*S. und B.*							
c)								
◯								
d)								

15. Wie heißen die Wörter richtig?

Nach Übung
9
im Kursbuch

a) Ich möchte gern im ANDLAUS arbeiten. _____
b) Er spricht keine DRACHEMSPREF. _____
c) Ich wohne in einer JUNGBERGHEREDE. _____
d) Jan und ich haben eine herzliche SCHEUDFRANFT. _____
e) Er wohnt in Italien, aber seine HAMTEI ist Belgien. _____
f) Hast du STANG alleine in den Urlaub zu fahren? _____
g) Sonja hat gestern ihre FUNGPRÜ bestanden. _____
h) Thomas arbeitet noch nicht lange. Er hat erst wenig ERUNGFAHR in seinem Beruf. _____
i) Ich möchte bestellen. Ruf bitte die NUNGDIEBE. _____
j) In der LUNGHANDBUCH „Horn" kann man sehr gute Reisebücher kaufen. _____
k) Ich bezahle das Essen. Sie sind mein STAG. _____

Lektion 7

16. Was können Sie auch sagen?

a) *Ich möchte meine Freunde nicht aus den Augen verlieren.*
   - Ⓐ Ich möchte meine Freunde nicht mehr sehen.
   - Ⓑ Ich möchte nicht den Kontakt zu meinen Freunden verlieren.
   - Ⓒ Ich schaue meinen Freunden immer in die Augen.

b) *Ulrike ist in die Stadt Florenz verliebt.*
   - Ⓐ Ulrike mag Florenz ganz gern.
   - Ⓑ Ulrike liebt einen jungen Mann aus Florenz.
   - Ⓒ Ulrike findet Florenz fantastisch.

c) *Die Deutschen leben um zu arbeiten.*
   - Ⓐ Für die Deutschen ist die Arbeit wichtiger als ein schönes Leben.
   - Ⓑ Die Deutschen leben nicht lange, weil sie zu viel arbeiten müssen.
   - Ⓒ In Deutschland kann man nur leben, wenn man viel arbeitet.

d) *Frankreich ist meine zweite Heimat.*
   - Ⓐ Ich habe zwei Häuser in Frankreich.
   - Ⓑ In Frankreich fühle ich mich wie zu Hause.
   - Ⓒ Ich habe einen französischen Pass.

17. Bilden Sie Sätze mit „um zu" und „weil".

a) Warum gehst du ins Ausland?   (arbeiten/wollen)
   Ich gehe ins Ausland um dort zu arbeiten.
   Ich gehe ins Ausland, weil ich dort arbeiten will.

b) Warum arbeitest du als Bedienung?   (Leute kennen lernen/möchten)
c) Warum machst du einen Sprachkurs?   (Englisch lernen/möchten)
d) Warum wohnst du in einer Jugendherberge?   (Geld sparen/müssen)
e) Warum gehst du zum Rathaus?   (Visum beantragen/wollen)
f) Warum fährst du zum Bahnhof?   (Koffer abholen/wollen)
g) Warum fliegst du nach Ägypten?   (Pyramiden sehen/möchten)

18. Ergänzen Sie.

a) (Männer/tolerant) Die deutschen Frauen haben _____ _____
b) (Problem/ernst) Ich glaube, Maria hat ein _____ _____
c) (Ehemann/egoistisch) Sie hat einen _____ _____
d) (Freundschaft/herzlich) Wir haben eine _____ _____
e) (Leute/nett) Ich habe in Spanien _____ _____ getroffen.
f) (Gefühl/komisch) Zuerst war es ein _____
   _____ alleine im Ausland zu sein.
g) (Junge/selbständig) Peter ist erst 14 Jahre alt, aber er ist ein _____
   _____
h) (Hund/dick) Ich sehe ihn jeden Tag, wenn er mit seinem _____
   _____ spazieren geht.
i) (Mutter/alt) Sie wohnt bei ihrer _____ _____

19. Ergänzen Sie.

Nach Übung

9

im Kursbuch

| gleich | anders | ähnlich | verschieden | ander- | dieselbe |

a)

b)

c)

a) Die Frau in Jeans ist ———————————— Frau wie die im Abendkleid.

b) Frau A und Frau B sehen ganz ———————————— aus, aber sie tragen die
———————————— Kleider.
(Frau A sieht ———————————— aus als Frau B, aber sie trägt das
———————————— Kleid wie Frau B.)

c) Die eine Frau ist klein, die ———————————— ist groß, aber sie tragen
———————————— Kleider.

Ihre Grammatik. Ergänzen Sie.

	Hut	Bluse	Kleid	Schuhe
Das ist	derselbe der gleiche ein anderer			
Sie trägt	de den glei einen and			
Das ist die Frau mit	de dem einem			

Lektion 7

20. Ergänzen Sie.

Einkommen   Gefühl   Bedeutung   Angst   Zweck   Schwierigkeiten   Erfahrung   Kontakt   Pech

a) Das Wort „Bank" hat zwei verschiedene _____.
b) Franz hat ein sehr gutes _____. Er verdient 7500 Mark im Monat.
c) Frau Weber arbeitet schon 15 Jahre in unserer Firma. Sie hat sehr viel _____ in ihrem Beruf.
d) Carlo wohnt schon sechs Jahre in Deutschland, aber er hat immer noch wenig _____ mit Deutschen.
e) Herr Drechsler hat großes _____ gehabt; drei Tage vor seinem Urlaub hatte er einen Autounfall.
f) Kannst du bitte etwas lauter sprechen? Ich habe _____ dich richtig zu verstehen.
g) Karin hat sich gut vorbereitet, trotzdem hat sie große _____ vor der Prüfung.
h) Ich weiß es nicht genau, aber ich habe das _____, dass Alexandra sich verliebt hat.
i) Es hat keinen _____ Dirk anzurufen. Er ist nicht zu Hause.

21. Was passt zusammen?

A	Die Städte sind sowohl sauber
B	Für Mütter mit kleinen Kindern gibt es weder Erziehungsgeld
C	Die Frauen müssen entweder nach drei Monaten Babypause zurück an den Arbeitsplatz,
D	In den Städten können sowohl Autos fahren
E	Die Frauen arbeiten nicht nur im Beruf,
F	Die Deutschen haben weder Zeit für sich selbst
G	Die Männer helfen nicht nur bei der Erziehung der Kinder,
H	Entweder müssen die Frauen berufstätig sein,

1	sondern auch bei der Hausarbeit.
2	als auch Radfahrer.
3	noch für andere Leute.
4	oder die Familie hat zu wenig Geld.
5	als auch menschenfreundlich.
6	oder sie verlieren ihre Stelle.
7	sondern machen auch die ganze Hausarbeit alleine.
8	noch eine Reservierung der Arbeitsstelle.

A	B	C	D	E	F	G	H

22. Bilden Sie Sätze mit „um...zu" oder „damit".

Nach Übung

18

im Kursbuch

Warum ist Carlo Gottini nach Deutschland gekommen?

a) Er will hier arbeiten.

*Er ist nach Deutschland gekommen
um hier zu arbeiten.*

b) Seine Kinder sollen bessere Berufschancen haben.

*Er ist nach Deutschland gekommen,
damit seine Kinder bessere
Berufschancen haben.*

c) Er will mehr Geld verdienen.

d) Er möchte später in Italien eine Autowerkstatt kaufen.

e) Seine Kinder sollen Deutsch lernen.

f) Seine Frau muss nicht mehr arbeiten.

g) Er möchte in seinem Beruf später mehr Chancen haben.

h) Seine Familie soll besser leben.

i) Er wollte eine eigene Wohnung haben.

23. Was passt am besten?

Nach Übung

18

im Kursbuch

Mode	Regel	Diskussion	Schwierigkeit	Bedeutung	Presse	Gefühl
Lohn/Einkommen	Ausländer(in)	Verwandte	Besitzer(in)	Änderung	Bauer	

a) hübsch aussehen – Kleidung – modern: _____

b) Problem – Sorge – Ärger: _____

c) Sprache – Spiel – Grammatik: _____

d) Arbeit – Geld verdienen – Arbeitgeber – Arbeitnehmer: _____

e) Meinungen – sprechen – dafür/dagegen sein – sich streiten: _____

f) Zeitung – Zeitschrift: _____

g) Wiesen – Kühe – Hühner – Land – Gemüse – Milch – Fleisch – Eier: _____

h) Onkel – Tante – Bruder – Schwester – Großeltern: _____

i) traurig – glücklich – mögen – hassen: _____

j) gehören – Haus/Auto/... – eigen- – sein/mein/...: _____

k) einwandern – im fremden Land wohnen – aus einem anderen Land kommen: _____

l) anders machen – nicht wie immer machen: _____

m) Wort – Lexikon – erklären – nicht kennen: _____

Lektion 7

Nach Übung

18

im Kursbuch

24. Ergänzen Sie „dass", „weil", „damit", „um...zu" oder „zu". (Bei „zu" bleibt eine Lücke frei.)

Immer mehr Deutsche kommen in die ausländischen Konsulate, _____(a) sie auswandern wollen. Manche haben Angst _____(b) arbeitslos _____(c) werden, andere wollen ins Ausland geben, _____(d) ihre Familien dort freier leben können. Die meisten hoffen _____(e) in ihrem Traumland reich _____(f) werden. Aber viele vergessen, _____(g) auch andere Länder wirtschaftliche Probleme haben. _____(h) zum Beispiel nach Australien auswandern _____(i) können muss man einen Beruf haben, der dort gebraucht wird. Auch in anderen Ländern ist es schwer _____(j) eine Arbeitserlaubnis _____(k) bekommen. Man sollte sich also vorher genau informieren. Man muss auch ein bisschen Geld gespart haben, _____(l) man in der ersten Zeit im fremden Land leben kann. Man kann nicht sicher sein _____(m) sofort eine Stelle _____(n) finden. Manche Auswanderer kommen enttäuscht zurück. Dieter Westphal zum Beispiel ist seit ein paar Monaten wieder in Deutschland. Er sagt: „Ich bin nach Kanada gegangen _____(o) mehr Geld _____(p) verdienen. Das Leben dort ist nicht leicht. Ich hatte keine Lust mehr _____(q) 60 Stunden _____(r) arbeiten, _____(s) 580 Dollar _____(t) verdienen. Erst jetzt weiß ich, _____(u) es den Deutschen eigentlich gut geht."

Nach Übung

18

im Kursbuch

25. Ergänzen Sie.

noch	schon	nicht mehr	noch nicht

a) Er hat gerade angefangen zu arbeiten. – Er arbeitet _____.
b) Seine Arbeit beginnt in zwei Stunden. – Er arbeitet _____.
c) Er macht heute später Feierabend. – Er arbeitet _____.
d) Er hat schon Feierabend. – Er arbeitet _____.

nichts mehr	schon etwas	noch etwas	noch nichts

e) Er hat sein Essen gerade bekommen. – Er hat _____.
f) Er wartet auf sein Essen. – Er hat _____.
g) Er möchte mehr essen. – Er möchte _____.
h) Er ist satt. – Er möchte _____.

noch immer	nicht immer	schon wieder	immer noch nicht

i) Obwohl sie wieder gesund ist, arbeitet sie nicht. – Sie arbeitet _____.
j) Obwohl sie noch krank ist, hat sie gestern angefangen zu arbeiten. – Sie arbeitet _____.
k) Obwohl sie müde ist, hört sie nicht auf zu arbeiten. – Sie arbeitet _____.
l) Sie arbeitet nur manchmal. – Sie arbeitet _____.

26. Ergänzen Sie.

Nach Übung
18
im Kursbuch

a) Hunger : hungrig / Durst : _____

b) Anfang : anfangen / Ende : _____

c) studieren : Student / Beruf lernen : _____

d) Geschäft : Verkäuferin / Restaurant : _____

e) keine Stelle haben : arbeitslos / eine Stelle haben : _____

f) nicht weniger : mindestens / nicht mehr : _____

g) ins Haus gehen : reingehen / das Haus verlassen : _____

h) Bücher : Buchhandlung / Medikamente : _____

i) jetzt : diese Woche / vor sieben Tagen : _____

j) nach unten : fallen / nach oben : _____

27. Ergänzen Sie die Verben und die Präpositionen.

Nach Übung
18
im Kursbuch

Kontakt finden   Schwierigkeiten haben   interessieren   sein   beschweren   sagen   helfen   hoffen   gelten   gewöhnen   denken   Angst haben   sprechen   klagen   arbeiten   denken

vor   an   zu   über   in   mit   auf   für   bei

a) Johanna hat an die Zeitschrift geschrieben, weil sie sich _____ eine Arbeitsstelle im Ausland _____ .

b) Das Gesetz _____ nicht nur _____ Deutschland, sondern auch _____ die anderen EG-Bürger in den anderen Staaten.

c) Ludwig _____ seit acht Jahren _____ derselben Computerfirma.

d) Doris hat _____ ihrer Freundin _____ ihren Plan _____ .

e) Frauke _____ zuerst ein wenig _____ _____ den Franzosen, aber dann gefiel es ihr dort doch sehr gut.

f) Am Anfang kannte sie niemanden, aber dann hat sie schnell _____ den Leuten _____ .

g) Eigentlich mag Simone England, aber sie _____ immer noch _____ _____ der kühlen Art der Engländer.

h) Viele Deutsche glauben, dass die Ausländer schlecht _____ sie _____ .

i) Kannst du mir morgen _____ der Arbeit im Garten _____ ?

j) Deutsche Frauen _____ sich zu viel _____ die Hausarbeit.

k) Maria Moro aus Italien meint, dass die Deutschen zu viel _____ die Arbeit und _____ Geld _____ .

l) Norbert hat sich schnell _____ das Leben in Portugal _____ .

m) Viele wandern aus, weil sie im Ausland _____ ein besseres Leben _____ .

n) Julio meint, dass die Deutschen zu viel _____ Probleme _____ , obwohl es ihnen eigentlich sehr gut geht.

o) Ich habe gehört, was du _____ meinen Plan _____ hast.

p) Ich _____ _____ Deine Idee, nicht dagegen.

Lektion 8

Wortschatz

Verben

annehmen 101
begleiten 101
beschließen 101
demonstrieren 99
entscheiden 104

entschließen 106
erinnern 105
erreichen 101
folgen 101
fordern 101

führen 101
gewinnen 100
nennen 103
öffnen 105
rufen 105

schließen 104
streiken 98
unterschreiben 100
verreisen 106
wählen 101

Nomen

e Armee, -n 104
r Aufzug, ̈e 99
e Ausreise 105
r Bau 104
r Beginn 105
r Briefumschlag, ̈e 99
r Bund 102
r Bus, -se 98
r Bürger, - 100
e DDR 104
e Demokratie, -n 103
e Demonstration, -en 100
e Deutsche Demokratische Republik 104
r Dienstag 101
e Diktatur, -en 105
r Einfluss, ̈e 104
r Empfang, ̈e 106
s Ende, -n 105
s Ereignis, -se 99
e Fabrik, -en 99
r Fahrer, - 98

s Feuer 99
r Fotograf, -en 107
e Frage, -n 101
r Friede 100
s Geschäft, -e 99
e Geschichte 105
e Gesellschaft 106
e Gruppe, -n 101
s Hochhaus, ̈er 99
r Juli 101
s Kabinett, -e 101
e Katastrophe, -n 100
s Knie, - 98
e Koalition, -en 101
e Konferenz, -en 100
r König, -e 101
e Königin, -nen 101
s Krankenhaus, ̈er 98
r Krieg, -e 98
e Krise, -n 98
e Macht 105
e Mauer, -n 104
r Minister, - 101
s Mitglied, -er 102

e Nachricht, -en 98
r November 106
r Oktober 101
e Operation, -en 98
e Opposition 105
r Ort, -e 105
s Paket, -e 99
s Parlament, -e 98
e Partei, -en 101
s Päckchen, - 99
e Politik 104
e Post 99
r Präsident, -en 101
r Protest, -e 105
s Rathaus, ̈er 98
r Raucher, - 98
e Reform, -en 101
e Regierung, -en 98
s Schloss, ̈er 101
e Seite, -n 98
r Sonntag, -e 101
r Sozialdemokrat, -en 101
r Sportplatz, ̈e 98

r Staat, -en 103
s Stadion, Stadien 98
e Straßenbahn, -en 98
r Streik, -s 99
s System, -e 101
e Uhr, -en 106
e Umwelt 100
s Unglück 100
r Unterschied, -e 104
e Unterschrift, -en 105
e Verfassung 101
e Verletzung, -en 98
s Volk, ̈er 102
r Vorschlag, ̈e 101
e Wahl, -en 100
r Weg, -e 105
(s) Weihnachten 99
e Welt, -en 106
r Weltkrieg, -e 103
e Zahl, -en 101
e Zeitung, -en 98
s Ziel, -e 101
r Zoll 98

Adjektive

ausländisch 98
dankbar 106
demokratisch 105
eng 105
enttäuscht 98

international 101
kapitalistisch 105
kommunistisch 105
leer 98
liberal 103

national 102
politisch 105
sozialdemokratisch 103
sozialistisch 103

verletzt 98
völlig 104
wahrscheinlich 101
westlich 105
wirtschaftlich 104

Adverbien

allerdings 105	bisschen 106	noch 101
beinahe 106	lange 101	

Funktionswörter

außer 98	jedoch 105	während 104
gegen 98	ohne 98	wegen 98

Ausdrücke

ein Gespräch führen 101	immer größer 104	vor allem 104
	noch größer 101	wie oft 103

Grammatik

Präpositionen mit festen Kasus (§ 15)

für	*Akkusativ*	außer	*Dativ*	während	*Genitiv*
gegen		mit		wegen	*(oder Dativ)*
ohne		nach			
		seit			
		von			

Ausdrücke mit Präpositionen

Angst haben vor	*Dativ*	enttäuscht sein über	*Akkusativ*
einverstanden sein mit		froh sein über	
Erfolg haben mit		ideal sein für	
verheiratet sein mit		Lust haben auf	
überzeugt sein von		traurig sein über	
zufrieden sein mit		typisch sein für	
		Zeit haben für	

Lektion 8

Nach Übung

im Kursbuch

1. Was ist hier passiert?

a) _In Stuttgart ist ein Bus gegen einen Zug gefahren._

b) _____

c) _____

d) _____

e) _____

f) _____

Nach Übung

im Kursbuch

2. Was passt zusammen?

Aufzug – Beamter – Briefumschlag – Bus – Gas – Kasse – Lebensmittel – Öl – Wohnung – Päckchen – Paket – Pass – Stock – Straßenbahn – Strom – U-Bahn – Verkäufer – Zoll

a) Grenze   b) Heizung   c) Hochhaus   d) Post   e) Supermarkt f) Verkehr

_____ _____ _____ _____ _____ _____

_____ _____ _____ _____ _____ _____

_____ _____ _____ _____ _____ _____

Nach Übung
5
im Kursbuch

3. Sagen Sie es anders. Verwenden Sie die Präpositionen „ohne", „mit", „gegen", „außer", „für" und „wegen".

a) Das Auto fährt, aber es hat kein Licht.
   Das Auto fährt ohne Licht.

b) Ich habe ein Päckchen bekommen. In dem Päckchen war ein Geschenk.

_____

c) Wir hatten gestern keinen Strom. Der Grund war ein Gewitter.

d) Diese Kamera funktioniert mit Sonnenenergie. Sie braucht keine Batterie.

e) Ich konnte gestern nicht zu dir kommen. Der Grund war das schlechte Wetter.

f) Jeder in meiner Familie treibt Sport. Nur ich nicht.

g) Der Arzt hat mein Bein operiert. Ich hatte eine Verletzung am Bein.

h) Ich bin mit dem Streik nicht einverstanden.

i) Die Industriearbeiter haben demonstriert. Sie wollen mehr Lohn.

j) Man kann nicht nach Australien fahren, wenn man kein Visum hat.

4. Ihre Grammatik. Ergänzen Sie.

Nach Übung

5

im Kursbuch

	ein Streik	eine Reise	ein Haus	Probleme
für	einen Streik			
gegen				
mit				
ohne				
wegen				
außer				

5. Was kann man nicht sagen?

Nach Übung

7

im Kursbuch

a) einen Besuch *machen / anmelden / geben / versprechen*
b) eine Frage *haben / verstehen / anrufen / erklären*
c) einen Krieg *anfangen / abschließen / gewinnen / verlieren*
d) eine Lösung *besuchen / finden / zeigen / suchen*
e) eine Nachricht *bekommen / kennen lernen / schicken / verstehen*
f) ein Problem *erklären / sehen / vorschlagen / verstehen*
g) einen Streik *verlieren / vorschlagen / wollen / verlängern*
h) einen Unterschied *machen / sehen / beantragen / kennen*
i) einen Vertrag *unterschreiben / abschließen / unterstreichen / feiern*
j) eine Wahl *gewinnen / feiern / verlieren / finden*
k) einen Weg *bekommen / kennen / gehen / finden*

Lektion 8

Nach Übung

7

im Kursbuch

6. Wie heißt das Nomen?

a) meinen *die Meinung*
b) ändern _____
c) antworten _____
d) ärgern _____
e) beschließen _____
f) demonstrieren _____
g) diskutieren _____
h) erinnern _____
i) fragen _____
j) besuchen _____
k) essen _____
l) fernsehen _____
m) operieren _____

n) reparieren _____
o) regnen _____
p) schneien _____
q) spazieren gehen _____
r) sprechen _____
s) streiken _____
t) untersuchen _____
u) verletzen _____
v) vorschlagen _____
w) wählen _____
x) waschen _____
y) wohnen _____
z) wünschen _____

Nach Übung

7

im Kursbuch

7. Ergänzen Sie: „für", „gegen", „mit", „über", „von", „vor" oder „zwischen".

a) Im Fernsehen hat es eine Diskussion _____ Umweltprobleme gegeben.
b) Deutschland hat einen Vertrag _____ Frankreich abgeschlossen.
c) Viele Menschen haben Angst _____ einem Krieg.
d) Der Präsident _____ Kamerun hat die Schweiz besucht.
e) 30 000 Bürger waren auf der Demonstration _____ die neuen Steuergesetze.
f) Der Wirtschaftsminister hat den Vertrag _____ wirtschaftliche Kontakte _____ Algerien unterschrieben.
g) Die Ausländer sind froh _____ das neue Gesetz.
h) Die Gewerkschaft ist _____ dem Vorschlag der Arbeitgeber zufrieden.
i) Der Unterschied _____ der CDU und der CSU ist nicht groß.
j) Dieses Problem ist typisch _____ die deutsche Politik.

Nach Übung

11

im Kursbuch

8. Welche Wörter werden definiert?

Schulden	Partei	Steuern	Wähler	Koalition
Monarchie	Minister	Mehrheit	Wahlrecht	Abgeordneter

a) die meisten Stimmen = _____
b) das Recht ein Parlament zu wählen = _____
c) eine politische Gruppe = _____
d) eine Regierung aus mehreren politischen Gruppen = _____
e) ein Mitglied eines Parlaments = _____
f) das Geld, das die Bürger dem Staat geben müssen = _____
g) ein Mitglied einer Regierung = _____
h) das Geld, das man von jemand geliehen hat = _____
i) alle Bürger, die ein Parlament wählen können = _____
j) ein politisches System, in dem ein König der Staatschef ist = _____

9. Was passt?

Nach Übung

11

im Kursbuch

Minister	Ministerpräsident	Landtag	Bürger	Präsident	Finanzminister

a) Bundesrepublik : Bundestag / Bundesland : _____
b) Partei : Mitglied / Volk : _____
c) Fabrik : Buchhalter / Staat : _____
d) Monarchie : König / Republik : _____
e) Bundesregierung : Bundeskanzler / Landesregierung : _____
f) Parlament : Abgeordneter / Regierung : _____

10. Ergänzen Sie.

Nach Übung

12

im Kursbuch

seit	zwischen	nach	in	von...bis	wegen	während	vor	für	gegen

a) _____ 1969 gab es keine politischen Kontakte zwischen der Bundesrepublik und der DDR.
b) Die Bundesrepublik und die DDR gab es _____ 1949.
c) _____ 1949 _____ 1963 war Konrad Adenauer Bundeskanzler.
d) Erst _____ dem „Kalten Krieg" gab es politische Gespräche zwischen den beiden deutschen Staaten.
e) _____ 1949 und 1969 war die Zeit des „Kalten Krieges".
f) _____ Jahr 1956 bekamen die beiden deutschen Staaten wieder eigene Armeen.
g) _____ des Ost-West-Konflikts gab es 1949 zwei deutsche Staaten.
h) Die Sowjetunion war 1952 _____ einen neutralen deutschen Staat.
i) Die West-Alliierten und die Bundesregierung waren 1952 _____ einen neutralen deutschen Staat.
j) _____ des „Kalten Krieges" gab es keine politischen Gespräche zwischen der DDR und der Bundesrepublik.

11. „Wann?" oder „wie lange?" Welche Frage passt?

Nach Übung

12

im Kursbuch

a) Anna hat vor zwei Tagen ein Baby bekommen.
b) Es hat vier Tage geschneit.
c) Während des Krieges war er in Südamerika.
d) Es regnet immer gegen Mittag.
e) Nach zweiundzwanzig Jahren ist er nach Hause gekommen.
f) Bis zu seinem sechzigsten Geburtstag war er gesund.
g) Ich habe eine halbe Stunde im Regen gestanden.
h) Er ist zweiundzwanzig Jahre in Afrika gewesen.
i) In drei Tagen hat er sein Abitur.
j) Seit drei Tagen hat er nichts gegessen.

	wann?	wie lange?
a)	✗	_____
b)	_____	_____
c)	_____	_____
d)	_____	_____
e)	_____	_____
f)	_____	_____
g)	_____	_____
h)	_____	_____
i)	_____	_____
j)	_____	_____

Lektion 8

Nach Übung

12

im Kursbuch

12. Setzen Sie die Sätze ins Passiv.

a) In der DDR bestimmte die Sowjetunion die Politik.
In der DDR wurde die Politik von der Sowjetunion bestimmt.

b) Konrad Adenauer unterschrieb das Grundgesetz der BRD.
c) 1952 schlug die Sowjetunion einen Friedensvertrag vor.
d) Die West-Alliierten nahmen diesen Plan nicht an.
e) 1956 gründeten die DDR und die BRD eigene Armeen.
f) Seit 1953 feierte man den „Tag der deutschen Einheit".
g) In Berlin baute man 1961 eine Mauer.
h) Man schloss die Grenze zur Bundesrepublik.
i) Politische Gespräche führte man seit 1969.
j) Im Herbst 1989 öffnete man die Grenze zwischen Ungarn und Österreich.

Nach Übung

12

im Kursbuch

13. Schreiben Sie die Zahlen.

a) neunzehnhundertachtundsechzig *1968*
b) achtzehnhundertachtundvierzig ⎯⎯⎯⎯
c) neunzehnhundertsiebzehn ⎯⎯⎯⎯
d) siebzehnhundertneunundachtzig ⎯⎯⎯⎯
e) achtzehnhundertdreißig ⎯⎯⎯⎯
f) sechzehnhundertachtzehn ⎯⎯⎯⎯
g) neunzehnhundertneununddreißig ⎯⎯⎯⎯
h) tausendsechsundsechzig ⎯⎯⎯⎯
i) vierzehnhundertzweiundneunzig ⎯⎯⎯⎯

Nach Übung

13

im Kursbuch

14. Welche Sätze sagen dasselbe, welche nicht dasselbe?

	dasselbe	nicht dasselbe
a)		
b)		
c)		
d)		
e)		
f)		
g)		

a) Meine Mutter kritisiert immer meine Freunde. /
Meine Mutter ist nie mit meinen Freunden zufrieden.

b) Wenn man das Abitur hat, hat man bessere Berufschancen. /
Mit Abitur hat man bessere Berufschancen.

c) Man sollte mehr Krankenhäuser bauen. Das finde ich auch. /
Man sollte mehr Krankenhäuser bauen. Ich bin auch dagegen.

d) Wenn es keine Kriege geben würde, wäre die Welt schöner. /
Ohne Kriege wäre die Welt schöner.

e) Er erklärt, dass das Problem sehr schwierig ist. /
Er erklärt das schwierige Problem.

f) Niemand hat einen guten Vorschlag. /
Jemand hat einen schlechten Vorschlag.

g) Während des „Kalten Krieges" gab es nur Wirtschaftskontakte. /
Im „Kalten Krieg" gab es nur Wirtschaftskontakte.

15. Was können Sie auch sagen?

Nach Übung

13

im Kursbuch

a) *Er ist vor zwei Tagen angekommen.*
- Ⓐ Er ist seit zwei Tagen hier.
- Ⓑ Er ist für zwei Tage hier.
- Ⓒ Er kommt in zwei Tagen an.

b) *Gegen Abend kommt ein Gewitter.*
- Ⓐ Es ist Abend. Deshalb kommt ein Gewitter.
- Ⓑ Am Abend kommt ein Gewitter.
- Ⓒ Ich bin gegen ein Gewitter am Abend.

c) *Mein Vater ist über 60.*
- Ⓐ Mein Vater wiegt mehr als 60 kg.
- Ⓑ Mein Vater fährt schneller als 60 km/h.
- Ⓒ Mein Vater ist vor mehr als 60 Jahren geboren.

d) *Während meiner Reise war ich krank.*
- Ⓐ Auf meiner Reise war ich krank.
- Ⓑ Seit meiner Reise war ich krank.
- Ⓒ Wegen meiner Reise war ich krank.

e) *Seit 1952 wurden die DDR und die BRD immer verschiedener.*
- Ⓐ Vor 1952 waren die DDR und die BRD ein Staat.
- Ⓑ Nach 1952 wurden die Unterschiede zwischen der DDR und der BRD immer größer.
- Ⓒ Bis 1952 waren die BRD und die DDR zwei verschiedene Staaten.

f) *In zwei Monaten heiratet sie.*
- Ⓐ Ihre Heirat dauert zwei Monate.
- Ⓑ Sie heiratet für zwei Monate.
- Ⓒ Es dauert noch zwei Monate. Dann heiratet sie.

g) *Mit 30 hatte er schon 5 Häuser.*
- Ⓐ Er hatte schon 35 Häuser.
- Ⓑ Als er 30 Jahre alt war, hatte er schon 5 Häuser.
- Ⓒ Vor 30 Jahren hatte er 5 Häuser.

h) *Erst nach 1978 gab es Kontakte zwischen den beiden Staaten.*
- Ⓐ Vor 1978 gab es keine Kontakte zwischen den beiden Staaten.
- Ⓑ Seit 1978 gab es keine Kontakte zwischen den beiden Staaten mehr.
- Ⓒ Schon vor 1978 gab es Kontakte zwischen den beiden Staaten.

i) *In Deutschland dürfen alle Personen über 18 Jahre wählen.*
- Ⓐ Vor 18 Jahren durften in Deutschland alle Personen wählen.
- Ⓑ Nur Personen, die wenigstens 18 Jahre alt sind, dürfen in Deutschland wählen.
- Ⓒ In Deutschland dürfen alle Personen nach 18 Jahren wählen.

16. Sagen Sie es anders. Benutzen Sie „dass", „ob" oder „zu".

Nach Übung

13

im Kursbuch

a) Die Studenten haben beschlossen: Wir demonstrieren.
Die Studenten haben beschlossen zu demonstrieren.

b) Die Abgeordneten haben kritisiert: Die Steuern sind zu hoch.
Die Abgeordneten haben kritisiert, dass die Steuern zu hoch sind.

c) Sandro möchte wissen: Ist Deutschland eine Republik?

_____

d) Der Minister hat erklärt: Die Krankenhäuser sind zu teuer.

_____

e) Die Partei hat vorgeschlagen: Wir bilden eine Koalition.

_____

f) Die Menschen hoffen: Die Situation wird besser.

_____

Lektion 8

g) Herr Meyer überlegt: Soll ich nach Österreich fahren?

h) Die Regierung hat entschieden: Wir öffnen die Grenzen.

i) Die Arbeiter haben beschlossen: Wir streiken.

j) Der Minister glaubt: Der Vertrag wird unterschrieben.

Nach Übung

16

im Kursbuch

17. Was passt zusammen?

a)	Ich erinnere mich gut	1.	an eine schöne Zukunft.
b)	1989 kam es in der DDR	2.	für den freundlichen Empfang.
c)	In unserer Familie sorgt der Vater	3.	in den Westen frei.
d)	Die meisten Leute waren dankbar	4.	mit dem Staat und seinen Behörden.
e)	Manche Leute hatten Probleme	5.	an meine Kindheit.
f)	Viele Leute glauben nicht	6.	über die neue Freiheit.
g)	Bei der Demonstration ging es	7.	zwischen der BRD und der DDR waren groß.
h)	Die meisten DDR-Bürger waren glücklich	8.	für die Kinder.
i)	1989 wurde der Weg	9.	um freie Wahlen.
j)	Die Unterschiede	10.	zu Massendemonstrationen.

a)	b)	c)	d)	e)	f)	g)	h)	i)	j)

Nach Übung

16

im Kursbuch

18. Setzen Sie ein: „ein", „einen", „einem", „einer".

a) Maria ist vor _____ Woche angekommen.

b) Werner möchte in _____ neuen Beruf arbeiten.

c) Carlo ist wegen _____ Frau nach Deutschland gekommen.

d) In der Diskussion geht es um _____ politisches Problem.

e) Was ist der Unterschied zwischen _____ Diktatur und _____ demokratischen Staat?

f) Seit _____ Jahr sind alle Grenzen offen.

g) Wir haben die gute Nachricht durch _____ Freund bekommen.

h) Ohne _____ richtiges Parlament gibt es keine Demokratie.

i) Gerd und Lena haben sich während _____ Demonstration kennengelernt.

j) In _____ Monat fahre ich nach Berlin.

19. Setzen Sie ein: „der", „die", „das", „den", „dem".

Nach Übung

16

im Kursbuch

a) Viele Leute sind mit _____ Regierung nicht einverstanden.

b) Wir haben ein Gespräch über _____ Probleme der Arbeiter geführt.

c) Viele Leute haben Angst vor _____ Krieg.

d) Außer _____ Finanzminister sind alle Regierungsmitglieder für _____ neue Gesetz.

e) Während _____ Zeit des „Kalten Krieges" gab es nur Wirtschaftskontakte zwischen _____ beiden deutschen Staaten.

f) Hier kann jeder seine Meinung über _____ Staat sagen.

g) Wegen _____ Verletzung kann der Bundeskanzler nicht ins Ausland fahren.

h) Martina freut sich auf _____ neue Arbeit.

i) Die Leute waren dankbar für _____ neue Freiheit.

j) Die Leute denken oft an _____ Zeit vor dem 9. November 1989.

20. Bilden Sie ganze Sätze.

Nach Übung

16

im Kursbuch

In Schlagzeilen fehlen meistens Artikel und Verben. Machen Sie aus den Schlagzeilen ganze Sätze. Benutzen Sie folgende Verben:

> werden – unterschreiben – gewählt werden – es gibt – feiern – führen – bekommen – finden – sein

(Es gibt mehrere mögliche Formulierungen. Vergleichen Sie Ihre Lösung mit dem Lösungsschlüssel.)

a) Wegen Armverletzung: Boris Becker zwei Wochen im Krankenhaus.
   Wegen seiner Armverletzung liegt Boris Becker zwei Wochen im Krankenhaus.

b) Ausländer: bald Wahlrecht?

c) Regierungen Chinas und Frankreichs: Politische Gespräche.

d) Bundeskanzler mit Vorschlägen des Finanzministers nicht einverstanden.

e) Neues Parlament in Sachsen.

f) Nach Öffnung der Grenze: Tausende auf Straßen von Berlin.

g) Regierung: Lösung der Steuerprobleme.

h) Vertrag über Kultur zwischen Russland und Deutschland.

i) Zu viel Müll in Deutschlands Städten.

j) Wetter ab morgen wieder besser.

Lektion 9

Wortschatz

Verben

aufgeben 119
ausziehen 110
backen 114
beeilen 114
bieten 112

danken 110
einfallen 113
gehören 111
holen 115
regieren 114

schicken 110
treffen 115
umziehen 119
verabreden 118
verwenden 118

vorbeikommen
116
wandern 118
warten 116
wünschen 110

Nomen

(s) Afrika 119
r Anfang, ⁻e 118
e/r Angehörige, -n
111
r Aufenthalt, -e 112
e Bäckerei, -en 114
e Bedingung, -en
112
s Bett, -en 112
e Bevölkerung 113
e Bibliothek, -en
112
r Blick, -e 117
e Bürste, -n 115
e Erinnerung, -en
117

s Fahrrad, ⁻er 114
e Freiheit, -en 110
s Glück 110
r Handwerker, -
114
s Heim, -e 112
e Hilfe, -n 112
r Hof, ⁻e 114
s Holz 115
e Idee, -n 119
s Interesse, -n 112
e/r Jugendliche, -n
(ein
Jugendlicher)
113
r Junge, -n 119

e Kirche, -n 112
r Kuchen, - 114
r Kugelschreiber,
- 115
e Lage, -n 112
e Liebe 116
s Messer, - 115
r Moment, -e 115
s Möbel, - 112
s Museum,
Museen 119
e Nachbarin, -nen
115
e Nähe 111
s Paar, -e 116
s Regal, -e 114

e Rente, -n 112
r Schluss 118
s Schwimmbad, ⁻er
112
e Steckdose, -n 114
r Tanz, ⁻e 112
r Tänzer, - 118
e Tätigkeit, -en 119
r Tod 118
e Toilette, -n 112
e Veranstaltung, -en
112
r Verein, -e 115
s WC, -s 112
s Werkzeug, -e 115
e

Adjektive

besonder- 113
ernst 114
evangelisch 112

hell 112
lieb 118
modern 112

nächst- 110
offenbar 116
privat 112

schnell 113
schrecklich 117
ständig- 114

Adverbien

bald 110
bitte 112
da 116
doch 110
eigentlich 114

einmal 110
erst 117
genug 113
heute 114
inzwischen 119

mal 110
natürlich 110
nein 111
selber 110
so 112

sogar 112
vorher 114
wirklich 116
wohl 115

Funktionswörter

ab 112
bei 117

beide 116
bevor 114

einer 117
etwas 114

neben 114

Ausdrücke

allein bleiben 111	Gott sei Dank 116	noch mal 117	zu Fuß 114
gar nicht 110	nicht ganz 114	von Beruf sein 119	

Grammatik

Verben mit Reflexivpronomen (§ 10)

Im Akkusativ: sich ärgern   Ich <u>ärgere</u>   <u>mich</u>   über Paul.

        sich ausziehen   Willst du   <u>dich</u>   nicht <u>ausziehen</u>?

        sich waschen   Er <u>wäscht</u>   <u>sich</u>   täglich dreimal!

        sich beschweren   Wir sollten   <u>uns</u>   über dieses Essen <u>beschweren</u>.

        sich unterhalten   Worüber habt ihr <u>euch</u>   <u>unterhalten</u>?

        sich … fühlen   Sie <u>fühlen</u>   <u>sich</u>   trotz ihrer 65 Jahre noch jung.

Im Dativ: sich helfen   Ich kann   <u>mir</u>   immer selbst <u>helfen</u>.

        sich etw. wünschen   Was <u>wünschst</u> du <u>dir</u>   zum Geburtstag?

        sich etw. kochen   Er <u>kocht</u>   <u>sich</u>   gerade sein Essen.

        sich etw. waschen   Wir müssen   <u>uns</u>   unsere Wäsche selbst <u>waschen</u>.

        sich etw. kaufen   Warum <u>kauft</u> ihr <u>euch</u>   kein neues Auto?

        sich etw. leihen   Sie haben   <u>sich</u>   meinen Computer <u>geliehen</u>.

Unbetonte Ergänzungen: Reihenfolge (§ 33)

Ich brauche <u>den</u> Wagen.
Kannst du <u>mir den</u> heute Abend leihen?
Kannst du <u>ihn mir</u> heute Abend leihen?

Ich brauche <u>einen</u> Videorekorder.
Können Sie <u>mir einen</u> leihen?

Lisa braucht <u>die</u> Lampe.
Kannst du <u>ihr die</u> bis heute Abend reparieren?
Kannst du <u>sie ihr</u> bis heute Abend reparieren?

Lisa braucht <u>eine</u> Kaffeemaschine.
Kannst du <u>ihr eine</u> kaufen?

Eva und Peter brauchen <u>das</u> Werkzeug.
Kannst du <u>ihnen das</u> gleich bringen?
Kannst du <u>es ihnen</u> gleich bringen?

Eva und Peter brauchen <u>ein</u> Zelt.
Kannst du <u>ihnen eins</u> schenken?

Wir brauchen <u>die</u> Tennisbälle
Kannst du <u>uns die</u> mitbringen?
Kannst du <u>sie uns</u> mitbringen?

Wir brauchen Tennisbälle.
Kannst du <u>uns welche</u> mitbringen?

Reziprokpronomen (§ 11)

Sie haben sich beim Tanzen getroffen.   (Sie hat ihn getroffen, er hat sie getroffen.)
Sie haben sich besucht.   (Sie hat ihn besucht, er hat sie besucht.)
Sie haben sich geliebt.   (Sie hat ihn geliebt, er hat sie geliebt.)

Lektion 9

Nach Übung

1

im Kursbuch

1. Ergänzen Sie: „auf", „für", „mit", „über", „von" oder „zu".

a) Die Großeltern können _____ die Kinder aufpassen, wenn die Eltern abends weggehen.

b) Man muss den Eltern _____ alles danken, was sie getan haben.

c) Viele Leute erzählen immer nur _____ früher.

d) Viele Eltern sind _____ ihre Kinder enttäuscht, wenn sie im Alter allein sind.

e) Die Großeltern warten oft _____ Besuch von ihren Kindern.

f) Ich unterhalte mich gern _____ meinem Großvater _____ Politik.

g) Ich meine, die alten Leute gehören _____ uns.

h) Die Kinder spielen gern _____ den Großeltern.

i) Großmutter regt sich immer _____ Ingrids Kleider auf.

j) Ich finde es interessant, wenn meine Großeltern _____ ihrer Jugendzeit erzählen.

Nach Übung

1

im Kursbuch

2. Stellen Sie Fragen.

a) Ich denke gerade *an meinen Urlaub*.   *Woran denkst du gerade?*

b) Im Urlaub fahre ich *nach Schweden*.   _____

c) Ich freue mich schon *auf den Besuch der Großeltern*.   _____

d) Der Mann hat *nach der Adresse des Altersheims* gefragt.   _____

e) Ich möchte mich *über das laute Hotelzimmer* beschweren.   _____

f) Ich denke oft *über mein Leben* nach.   _____

g) Ich komme *aus der Schweiz*.   _____

h) Ich habe mein ganzes Geld *für Bücher* ausgegeben.   _____

i) Karin hat uns lange *von ihrer Reise* erzählt.   _____

j) Viele Leute sind *über die Politik der Regierung* enttäuscht.   _____

Nach Übung

2

im Kursbuch

3. Ergänzen Sie: „mir" oder „mich"?

a) Ich wasche _____ nur mit klarem Wasser.

b) Ich sehe _____ manchmal gern alte Fotos an.

c) Am Wochenende ruhe ich _____ meistens aus.

d) Ich rege _____ nicht über die jungen Leute auf.

e) Ich ziehe _____ gern modern an.

f) Ich möchte _____ über das Essen beschweren.

g) Ich bestelle _____ gern einen guten Wein.

h) Ich kann _____ einfach nicht entscheiden.

i) Entschuldigen Sie _____ bitte!

j) Ich kaufe _____ gern ein gutes Buch.

k) Um die anderen Leute kümmere ich _____ nicht.

l) Ich langweile _____ oft.

m) Einmal im Jahr leiste ich _____ einen Urlaub.

n) Ich wünsche _____ nicht sehr alt zu werden.

o) Ich setze _____ am liebsten auf mein altes Sofa.

p) Auf _____ kann man sich immer verlassen.

q) Das habe ich _____ gut überlegt.

r) Ich glaube, ich habe _____ nicht sehr verändert.

s) Hier fühle ich _____ wohl.

t) Ich koche _____ mein Essen fast immer selbst.

4. Ergänzen Sie: „sie" oder „ihnen".

Nach Übung

2

im Kursbuch

a) Was kann man für alte Menschen tun,
die allein sind?
Man kann

_____ besuchen,
_____ Briefe schreiben,
_____ auf einen Spaziergang
mitnehmen,
_____ Pakete schicken,
_____ zuhören, wenn sie
ihre Sorgen erzählen,
_____ manchmal anrufen.

b) Was muss man für alte Menschen tun,
die sich nicht allein helfen können?
Man muss

_____ morgens anziehen,
_____ abends ausziehen,
_____ die Wäsche waschen,
_____ das Essen bringen,
_____ waschen,
_____ im Haus helfen,
_____ ins Bett bringen.

5. Alt sein heißt oft allein sein. Ergänzen Sie: „sie", „ihr" oder „sich".

Nach Übung

2

im Kursbuch

Frau Möhring fühlt _____(a) oft allein.
Sie hat niemanden, der _____(b) zuhört, wenn sie Sorgen hat oder
wenn sie _____(c) unterhalten will.
Sie muss _____(d) selbst helfen, weil niemand _____(e) hilft.
Niemand besucht _____(f), niemand schreibt _____(g), niemand
ruft _____(h) an.
Aber ab nächsten Monat bekommt sie einen Platz im Altersheim.
Sie freut _____(i) schon, dass sie dann endlich wieder unter
Menschen ist.

6. Sagen Sie es anders.

Nach Übung

3

im Kursbuch

a) Ist das Ihr Haus? — *Gehört das Haus Ihnen?*
b) Ist das der Schlüssel von Karin?
c) Ist das euer Paket?
d) Du kennst doch Rolf und Ingrid. Ist das ihr Wagen?
e) Ist das sein Ausweis?
f) Herr Baumann, ist das Ihre Tasche?
g) Das ist mein Geld!
h) Sind das eure Bücher?
i) Sind das Ihre Pakete, Frau Simmet?
j) Gestern habe ich Linda und Bettina getroffen.
Das sind ihre Fotos.

**7. Kursbuch S. 110: Lesen Sie noch einmal den Brief von Frau Simmet.
Schreiben Sie:**

Nach Übung

3

im Kursbuch

Familie Simmet wohnt seit vier Jahren mit der Mutter von Frau Simmet zusammen, weil ihr Vater gestorben ist. Ihre Mutter kann ...

Lektion 9

8. Was passt zusammen?

-abend	-versicherung	-heim	-amt	-jahr	-raum
-tag	-paar	-schein	-haus		-platz

a) Senioren- / Alten- / Pflege- / Studenten- _____

b) Renten- / Kranken- / Pflege- / Lebens- _____

c) All- / Arbeits- / Geburts- / Feier- _____

d) Feier- / Lebens- / Sonn- _____

e) Arbeits- / Park- / Sport- _____

f) Kranken- / Eltern- / Gast- / Kauf- / Rat- _____

g) Kranken- / Führer- _____

h) Arbeits- / Sozial- _____

i) Hobby- / Koffer- / Maschinen- _____

j) Ehe- / Liebes- _____

k) Früh- / Ehe- / Lebens- _____

9. Lebensläufe.

a) Ergänzen Sie.

Mein Name ist Franz Kühler. Ich bin am 14. 3. 1927 in Essen geboren. Mein Vater war Beamter, meine Mutter Hausfrau. Die Volksschule habe ich in Bochum besucht, von 1933 bis 1941. Danach habe ich eine Lehre als Industriekaufmann gemacht. 1944 bin ich noch Soldat geworden. Nach dem Krieg habe ich meine spätere Frau kennen gelernt: Helene Wiegand. Am 16. 8. 1949 haben wir geheiratet. Unsere beiden Söhne Hans und Norbert sind 1951 und 1954 geboren. Bei der Firma Bolte & Co. in Gelsenkirchen bin ich 1956 Buchhalter geworden. In diesem Beruf habe ich später noch bei den Firmen Hansmann in Dortmund, Wölke in Kamen und zuletzt bei der Firma Jellinek in Essen gearbeitet. Meine Frau ist 1987 gestorben. 1992 bin ich in Rente gegangen. Ich wohne jetzt in einer Altenwohnung im „Seniorenpark Essen-Süd". Meine Söhne leben im Ausland. Ich bekomme 1800 Mark Rente im Monat.

Name:	_____
Geburtsdatum:	_____
Geburtsort:	_____
Familienstand:	_____
Kinder:	_____
Schulausbildung:	_____
Berufsausbildung:	_____
früherer Beruf:	*Buchhalter*
letzte Stelle:	_____
Alter bei Anfang der Rente:	_____
Rente pro Monat:	_____
jetziger Aufenthalt:	_____

b) Schreiben Sie einen Text: Es gibt mehrere mögliche Formulierungen. Vergleichen Sie Ihre
   Lösung mit dem Schlüssel zu dieser Übung.

Name: *Gertrud Hufendiek*
Geburtsdatum: *21. 1. 1935*
Geburtsort: *Münster*
Familienstand: *ledig*
Kinder: *keine*
Schulausbildung: *Volksschule 1941–1945;*
Realschule 1945–1951

Berufsausbildung: *Lehre als Kauffrau*
früherer Beruf: *Exportkauffrau*
letzte Stelle: *Fa. Piepenbrink, Bielefeld*
Alter bei Anfang der Rente: *58*
Rente pro Monat: *1600 Mark*
jetziger Aufenthalt: *Seniorenheim*
   „Auguste-Viktoria", Bielefeld

Mein Name ist ...   Ich bin am ... in ...

---

10. Wie heißt das Gegenteil?

Nach Übung

9

im Kursbuch

> Minderheit   Ursache   Scheidung   Friede   Jugend   Junge
>   Erwachsener   Freizeit   Gesundheit   Nachteil   Tod   Stadtmitte

a) Alter – _____
b) Mehrheit – _____
c) Arbeit – _____
d) Stadtrand – _____

e) Vorteil – _____
f) Jugendlicher – _____
g) Heirat – _____
h) Leben – _____

i) Krieg – _____
j) Krankheit – _____
k) Konsequenz – _____
l) Mädchen – _____

11. Was können Sie auch sagen?

Nach Übung

9

im Kursbuch

a) *Die Mehrheit der Bevölkerung ist über 30.*
   - Ⓐ Die meisten Einwohner des Landes sind älter als 30 Jahre.
   - Ⓑ Die meisten Einwohner des Landes sind Rentner.
   - Ⓒ Die meisten Einwohner des Landes sind ungefähr 30 Jahre alt.

b) *Die Kosten für die Rentenversicherung steigen.*
   - Ⓐ Die Rentenversicherung wird leichter.
   - Ⓑ Die Rentenversicherung wird teurer.
   - Ⓒ Die Rentenversicherung wird billiger.

c) *Herr Meyer hat eine Pflegeversicherung.*
   - Ⓐ Herr Meyer wird von einer Versicherung gepflegt.
   - Ⓑ Herr Meyer hat eine Versicherung, die später seine Pflege bezahlt.
   - Ⓒ Herr Meyer hat eine private Krankenversicherung.

d) *Alte Menschen brauchen Pflege.*
   - Ⓐ Alte Menschen müssen versorgt werden.
   - Ⓑ Alte Menschen müssen verlassen werden.
   - Ⓒ Alte Menschen brauchen eine gute Versicherung.

e) *Alte Leute haben oft den Wunsch nach Ruhe.*
   - Ⓐ Alte Leute brauchen selten Ruhe.
   - Ⓑ Alte Leute wollen immer nur Ruhe.
   - Ⓒ Alte Leute möchten oft Ruhe haben.

f) *Die Industrie muss mehr Artikel für alte Menschen herstellen.*
   - Ⓐ Die Industrie muss mehr Altenheime bauen.
   - Ⓑ Die Industrie soll keine Artikel für junge Menschen mehr herstellen.
   - Ⓒ Die Industrie muss mehr Waren für alte Menschen produzieren.

Lektion 9

Nach Übung

10

im Kursbuch

12. Wie heißen die fehlenden Wörter?

Pflaster Handwerker Regal Seife Bleistift Werkzeug Bürste Zettel Steckdose
Farbe

Heute will Herr Baumann endlich das _____(a) für die Küche bauen. Das ist nicht
schwer für ihn, weil er _____(b) ist. Zuerst macht er einen Plan. Dazu braucht er
einen _____(c) und einen _____(d). Dann holt er das Holz
und das _____(e). Um die Teile zu schneiden braucht er Strom. Wo ist denn
bloß eine _____(f)? Au! Jetzt hat er sich in den Finger geschnitten und braucht ein
_____(g). Er ist fast fertig, nur die _____(h) fehlt noch. Das Regal soll
grün werden. Zum Schluss ist Herr Baumann ganz schmutzig. Er geht zum Waschbecken,
nimmt die _____(i) und eine _____(j) und wäscht sich die Hände.

Nach Übung

11

im Kursbuch

13. Was passt zusammen?

a) Auf dem Tisch liegt mein Füller.
b) Heute habe ich Zeit die Uhr zu reparieren.
c) Uli hat seinen Pullover bei uns vergessen.
d) Wir haben das Problem nicht verstanden.
e) Dein neues Haus ist sicher sehr schön.
f) Die Wörterbücher sind noch im Wohnzimmer
g) Ich habe mir eine Kamera gekauft.
h) Das Fotobuch hat Maria sehr gut gefallen.

1. Erklärst du uns das bitte?
2. Gibst du ihn mir mal?
3. Holst du sie mir?
4. Kannst du mir die mal holen?
5. Schenken wir es ihr?
6. Soll ich dir die mal zeigen?
7. Soll ich ihm den schicken?
8. Wann willst du es uns zeigen?

a)	b)	c)	d)	e)	f)	g)	h)

Nach Übung

11

im Kursbuch

14. Wo steht das Pronomen?

a) Diese Suppe schmeckt toll. Kochst du ___—___ mir _die_ auch mal? (die)
b) Das ist mein neuer Mantel. Meine Eltern haben _____ mir _____ geschenkt. (ihn)
c) Diese Frage ist sehr schwierig. Kannst du _____ Hans _____ vielleicht erklären? (sie)
d) Ich möchte heute abend ins Kino gehen, aber meine Eltern haben _____ mir _____
verboten. (das)
e) Diese Lampe nehme ich. Können Sie _____ mir _____ bitte einpacken? (sie)
f) Ich brauche die Streichhölzer. Gibst du _____ mir _____ mal? (die)
g) Wie findest du die Uhr? Willst du _____ deiner Freundin _____ nicht zum Geburts-
tag schenken? (sie)
h) Wir haben hier einen Brief in dänischer Sprache. Können Sie _____ uns _____ bitte
übersetzen? (den)
i) Die Kinder wissen nicht, wie man den Fernseher anmacht. Zeigst du _____ ihnen
_____ mal? (es)
j) Das sind französische Zigaretten. Ich habe _____ meinem Lehrer _____ aus Frank-
reich mitgebracht. (sie)

15. Ihre Grammatik. Ergänzen Sie.

a) Können Sie mir bitte die Grammatik erklären?
b) Können Sie mir die Grammatik genauer erklären?
c) Können Sie mir die Grammatik bitte genauer erklären?
d) Können Sie mir die bitte erklären?
e) Können Sie sie mir bitte erklären?
f) Ich habe meinem Bruder gestern mein neues Auto gezeigt.
g) Holst du mir bitte die Seife?
Ich suche dir gern deine Brille.

h) Ich bringe dir dein Werkzeug sofort.
i) Zeig mir das doch mal!
j) Ich zeige es dir gleich.
k) Geben Sie mir die Lampe jetzt?
l) Holen Sie sie sich doch!
m) Dann können Sie mir das Geld ja vielleicht schicken.
n) Diesen Mantel habe ich ihr vorige Woche gekauft.

	Vorfeld	Verb₁	Subjekt	Ergänzung			Angabe	Ergänzung	Verb₂
				Akkusativ (Personalpronomen)	Dativ (Nomen/ Pers.-Pron.)	Akkusativ (Nomen/ Definit-Pron.)			
a)		Können	Sie		mir		bitte	die Grammatik	erklären?
b)									
c)									
d)									
e)									
f)									
g)									
h)									
i)									
j)									
k)									
l)									
m)									
n)									

Lektion 9

Nach Übung

12

im Kursbuch

16. Was hat Herr Schibilsky, Rentner, 66, gestern alles gemacht? Schreiben Sie.

a) _Um 8 Uhr hat er die Kin-_
   der in die Schule gebracht.

b) _____

c) _____

d) _____

e) _____

f) _____

g) _____

h) _____

i) _____

j) _____

k) _____

l) _____

17. Setzen Sie die Sätze ins Präteritum.

Nach Übung

14

im Kursbuch

a) Xaver hat immer nur Ilona geliebt.
   Xaver liebte immer nur Ilona.

b) Das hat er seiner Frau auf einer Postkarte geschrieben.

c) Viele Männer haben ihr die Liebe versprochen.

d) Sie haben in ihrer Dreizimmerwohnung gesessen.

e) Sie haben ihre alten Liebesbriefe gelesen.

f) Mit 18 haben sie sich kennengelernt.

g) Xaver ist mit einem Freund vorbeigekommen.

h) Die Jungen haben zugehört, wie die Mädchen gesungen haben.

i) Dann haben sie sich zu ihnen gesetzt.

j) 1916 haben sie geheiratet.

k) Die Leute im Dorf haben über sie geredet.

l) Aber sie haben es verstanden.

m) Jeden Sonntag ist er in die Berge zum Wandern gegangen.

n) Sie hat gewusst, dass Mädchen dabeigewesen sind.

o) Darüber hat sie sich manchmal geärgert.

p) Sie hat ihn nie gefragt, ob er eine Freundin gehabt hat.

18. Ergänzen Sie: „erzählen", „reden", „sagen", „sprechen", „sich unterhalten".

Nach Übung

15

im Kursbuch

a) Der Großvater _____ den Kindern oft Märchen.

b) _____ du auch Englisch?

c) Gestern haben Karl und Elisabeth uns von ihrer Reise nach Ägypten _____.

d) Karin hat Probleme in der Schule. Hast du dich schon mal mit ihr darüber _____?

e) _____ mir, was du jetzt machen willst!

f) Du _____ immer soviel! Kannst du nicht mal einen Augenblick lang still sein?

g) Was haben Sie gerade zu ihrem Nachbarn _____?

h) Die Situation ist sehr schlimm. Man kann von einer Katastrophe _____.

i) Worüber wollen wir uns denn jetzt _____?

j) Heinz ist Punk. Es ist klar, dass die Kollegen über ihn _____.

19. Ergänzen Sie: „sich setzen", „sitzen", „stehen", „liegen".

Nach Übung

15

im Kursbuch

a) Mein Zimmer ist sehr niedrig. Man kann kaum darin _____.

b) Bitte _____ Sie sich doch!

c) Anja _____ schon im Bett.

d) Ich _____ nicht so gern im Sessel, sondern lieber auf einem Stuhl.

e) Potsdam _____ bei Berlin.

f) Wo _____ die Weinflasche denn?

g) Es gab keine Sitzplätze mehr im Theater. Deshalb mussten wir _____.

h) Im Deutschkurs hat Angela sich zu mir _____.

i) Im Restaurant habe ich neben Carlo _____.

j) Deine Brille _____ im Regal.

Lektion 9

Nach Übung

16

im Kursbuch

20. Sagen Sie es anders.

a) Sie hat ihn in der U-Bahn kennengelernt, er hat sie in der U-Bahn kennengelernt.
  Sie haben sich in der U-Bahn kennengelernt.

b) Ich liebe dich, du liebst mich.
c) Er besucht sie, sie besucht ihn.
d) Ich helfe ihnen, sie helfen mir.
e) Ich höre Sie, Sie hören mich.
f) Du brauchst ihn, er braucht dich.

g) Er mag sie, sie mag ihn.
h) Er hat ihr geschrieben, sie hat ihm geschrieben.
i) Ich sehe Sie bald, Sie sehen mich bald.
j) Er wünscht sich ein Auto, sie wünscht sich ein Auto.

Nach Übung

16

im Kursbuch

21. Sagen Sie es anders. Benutzen Sie „als", „bevor", „bis", „während", „weil", „wenn".

a) Bei Regen gehe ich nie aus dem Haus. *Wenn es regnet, gehe ich nie aus dem Haus.*
b) Vor seiner Heirat hat er viele Mädchen gekannt.
c) Wegen meiner Liebe zu dir schreibe ich dir jede Woche einen Brief.
d) Bei Schnee ist die Welt ganz weiß.
e) Es dauert noch ein bisschen bis zum Anfang des Films.
f) Bei seinem Tod haben alle geweint.
g) Während des Streiks der Kollegen habe ich gearbeitet.

Nach Übung

17

im Kursbuch

22. Sagen Sie es anders. Verbinden Sie die Sätze mit dem Relativpronomen.

a) Frau Heidenreich ist eine alte Dame. Sie war früher Lehrerin.
  Frau Heidenreich ist eine alte Dame, die früher Lehrerin war.

b) Sie hat einen Verein gegründet. Dieser Verein vermittelt Leihgroßmütter.
c) Frau H. hat Freundinnen eingeladen. Den Freundinnen hat sie von ihrer Idee erzählt.
d) Die älteren Damen kommen in Familien. Diese Familien brauchen Hilfe.
e) Frau H. hat sich früher um ein kleines Mädchen gekümmert. Es lebte in der Nachbarschaft.
f) Eine Dame ist ganz zu einer Familie gezogen. Bei der Familie war sie vorher Leihgroßmutter.
g) Eine Dame kam in eine andere Familie. Diese Familie suchte nur jemanden für die Hausarbeit.
h) Es gibt viele alte Menschen. Ihnen fehlt eine richtige Familie.
i) Alle Leute brauchen einen Menschen. Für den Menschen können sie da sein.
j) Manchmal gibt es Probleme. Über die Probleme kann man aber in der Gruppe reden.

Nach Übung

17

im Kursbuch

23. Ergänzen Sie die Sätze.

a) Manche Leute arbeiten, obwohl…
b) Frau Heidenreich hat einen Verein für Leihgroßmütter gegründet um… zu…
c) Herr Schulz hat sich immer einsam gefühlt. Deshalb…
d) Frau Meyer ist schon zum zweitenmal verwitwet. Trotzdem…
e) Wir können die alten Leute nicht ins Altersheim schicken, denn…
f) Herr Müller wohnt in einem Altersheim, aber…
g) Herr Bauer ist schon seit einem Jahr Rentner. Trotzdem…
h) Herr und Frau Dengler sind 65 Jahre verheiratet, und…

| sich immer noch lieben |
| sich immer wieder Arbeit suchen |
| Familien ohne Großmutter helfen |
| noch einmal heiraten wollen |
| sich dort wohl fühlen |
| Rentner sein   zu uns gehören |
| eine Heiratsanzeige aufgeben |

Wortschatz

Verben

atmen 126	fehlen 123	nähen 126	stellen 127
aufmachen 127	heben 126	nehmen 126	tragen 122
bauen 123	kommen 126	ordnen 122	tun 127
beschreiben 124	laufen 126	schenken 128	verändern 122
bleiben 123	lesen 123	schütten 126	wohnen 126
einschlafen 126	liegen 122	sehen 122	zählen 122
essen 126	merken 126	springen 123	
fallen 123	mögen 128	stehen 122	

Nomen

r Abend, -e 127	s Buch, ⸚er 124	r Hund, -e 122	r Raum, ⸚e 127
s Alter 128	r Dezember 125	r Hunger 124	s Rezept, -e 124
e Arbeiterin, -nen 127	s Ding, -e 126	e Kartoffel, -n 126	r Roman, -e 124
r August 127	e Erlaubnis 127	e Katze, -n 124	r Satz, ⸚e 122
e Autorin, -nen 124	s Essen 126	s Lebensmittel, - 127	s Schwein, -e 126
e Badewanne, -n 126	r Fisch, -e 122	e Leute (Plural) 125	r Soldat, -en 127
e Bank, ⸚e 126	e Freude, -n 128	s Mehl 124	e Stadt, ⸚e 122
e Bäuerin, -nen 125	s Frühstück 128	r Mensch, -en 122	e Stunde, -n 122
s Bier, -e 122	r Garten, ⸚ 124	e Milch 126	e Suppe, -n 128
e Blume, -n 122	s Gedicht, -e 122	s Militär 125	r Tipp, -s 124
s Blut 126	s Gemüse 124	e Nacht, ⸚e 125	r Titel, - 122
s Boot, -e 122	s Glas, ⸚er 122	r Name, -n 124	e Torte, -n 124
r Brief, -e 122	s Gras 127	r Nationalsozialist, -en 127	e Tür, -en 127
s Brot, -e 126	e Hand, ⸚e 122	r Nazi, -s 127	s Vieh 127
e Brust, ⸚e 126	e Hausfrau, -en 125	s Obst 124	r Vogel, ⸚ 122
	s Herz, -en 123		e Wand, ⸚e 122
			e Wolke, -n 122

Adjektive

amtlich 127	ganz 124	krank 125	tief 122
breit 122	geboren 125	laut 122	weiblich 126
bunt 122	gerade 126	müde 127	
einzig- 125	hart 126	offiziell 124	
frisch 124	häufig 128	sauer 128	

Adverbien

anders 122	dort 122	hin- 127	selbst 122
außerdem 124	drinnen 126	morgens 127	wieder 127
daher 127	gestern 122	nun 127	zusammen 127
diesmal 124	hier 122	schon 122	

Lektion 10

Funktionswörter

als 123	bis 126	nichts 127	unter 122
an 122	hinter 127	niemand 127	von 122
ander- 126	jemand 126	oder 122	wo 127
aus 124	nach 125	und 124	zu 122

Ausdrücke

fertig sein 126	Leid tun 122	nicht genug 126	nicht mehr 126

Grammatik

Diese Lektion hat keinen spezifischen grammatikalischen Schwerpunkt.

1. Wie heißen diese Dinge?

a) _____	e) _____	i) _____	m) _____
b) _____	f) _____	j) _____	n) _____
c) _____	g) _____	k) _____	o) _____
d) _____	h) _____	l) _____	p) _____

Lektion 10

2. Wie sind die Menschen?

traurig	vorsichtig	pünktlich	schmutzig	ehrlich	gefährlich
langweilig	lustig	neugierig	dumm	freundlich	dick	ruhig

a) Erich wiegt zu viel. Er ist zu _____ .

b) Viele Leute haben Angst vor Punks. Sie glauben, Punks sind _____ .

c) Meine kleine Tochter wäscht sich nicht gern. Sie ist meistens _____ .

d) Herr Berg kommt nie zu spät und nie zu früh. Er ist immer _____ .

e) Peter erzählt selbst sehr wenig, er hört lieber zu. Er ist ein sehr
_____ Mensch.

f) Jörg lacht selten. Meistens sieht er sehr _____ aus.

g) Veronika fährt immer langsam und passt gut auf. Sie ist eine _____
Autofahrerin.

h) Erich lügt nicht. Er ist immer _____ .

i) Die Gespräche mit Eva sind uninteressant und _____ . Ich könnte
dabei manchmal einschlafen.

j) Über Bert haben wir schon oft gelacht. Alle finden ihn sehr _____ .

k) Holger will immer alles wissen. Er ist ziemlich _____ .

l) Susanne ist eine gute Kellnerin. Sie ist immer nett und _____ .

m) Kurt ist nicht sehr intelligent. Er ist ziemlich _____ .

3. Ergänzen Sie.

a) Das weiß_____ Hemd, die blau_____ Hose und der grau_____ Mantel passen
gut zusammen.

b) Sie trägt eine rot_____ Hose mit einer blau_____ Bluse.

c) Ich mag keine schwarz_____ Schuhe. Braun_____ Schuhe gefallen mir besser.

d) Zieh einen warm_____ Pullover an, draußen ist es ziemlich kalt.

e) Für die Hochzeit hat sie sich extra ein neu_____ Kleid gekauft.

f) Bring bitte den schwarz_____ Rock, das rot_____ Kleid, die braun_____ Hose
und die weiß_____ Blusen in die Reinigung.

g) Eine grün_____ Bluse und ein blau_____ Rock passen nicht zusammen.

h) In dem rot_____ Rock mit der weiß_____ Bluse sieht Irene sehr hübsch aus.

i) Mit diesem hässlich_____ Kleid und mit den komisch_____ Schuhen kannst Du
nicht zu der Feier gehen. Das ist unmöglich.

j) Ein rot_____ Kleid mit schwarz_____ Strümpfen sieht gut aus.

k) Gestern habe ich Sonja zum ersten Mal in einem hübsch_____ Kleid gesehen. Sonst
trägt sie immer nur Hosen.

l) Mit schmutzig_____ Schuhen darfst du nicht in die Wohnung gehen.

m) Die schwarz_____ Schuhe sind kaputt.

n) Ihr Mann trug eine grau_____ Hose mit einem gelb_____ Pullover.

4. Was passt nicht?

a) Chefin – Arbeitgeber – Kantine – Handwerker – Arbeiter – Beamtin – Arbeitnehmer – Kaufmann – Verkäuferin – Kollege – Soldat

b) Schulklasse – Studentin – Schüler – Lehrling – Lehrer

c) Gehalt – Lohn – Rente – Steuern – Stelle

d) Diplomprüfung – Examen – Ausbildung – Prüfung – Test

e) Betrieb – Job – Firma – Geschäft – Büro – Fabrik – Werk

f) Sprachkurs – Lehre – Studium – Ausbildung – Unterricht – Beruf

g) Grundschule – Universität – Gymnasium – Wissenschaft – Kindergarten

5. Sagen Sie es anders. Verwenden Sie Nebensätze mit „weil", „wenn" oder „obwohl".

a) Gerda hat erst seit zwei Monaten ein Auto. Trotzdem ist sie schon eine gute Autofahrerin.
   Obwohl Gerda erst seit zwei Wochen ein Auto hat, ist sie schon eine gute Autofahrerin.

b) Das Auto fährt nicht gut. Es war letzte Woche in der Werkstatt.

c) Ich fahre einen Kleinwagen, denn der braucht weniger Benzin.

d) In zwei Jahren verdient Doris mehr Geld. Dann kauft sie sich ein Auto.

e) Jens ist zu schnell gefahren. Deshalb hat die Polizei ihn angehalten.

f) Nächstes Jahr wird Andrea 18 Jahre alt. Dann möchte sie den Führerschein machen.

g) Thomas hat noch keinen Führerschein. Trotzdem fährt er schon Auto.

6. Was passt?

> Sendung   Zuschauer   Orchester   Maler   Fernseher   Kino
> Bild/Zeichnung   Schauspieler   singen   Eintritt   Künstler

a) hören : Radio / sehen : _____

b) fotografieren : Foto / zeichnen : _____

c) Theater : Veranstaltung / Fernsehen : _____

d) tanzen : Tänzer / malen : _____

e) Fußball spielen : Mannschaft / Musik spielen : _____

f) Musik : spielen / Lied : _____

g) Konzert : Musiker / Film : _____

h) Theaterstück spielen : Schauspieler / Theaterstück sehen : _____

i) Handwerk : Handwerker / Kunst : _____

j) Oper, Konzert, Theaterstücke : im Theater / Filme : _____

k) Wohnung : Miete / Museum : _____

Lektion 10

Zu Lektion

3

Wiederholung

7. Sagen Sie es anders.

Erinnern Sie sich noch an Frau Bauer? Sie hat ihre Freundin Christa gefragt, was sie machen soll. Das sind Christas Antworten.

a) Er kann dir doch im Haushalt helfen.　　*Er könnte dir* _____

b) Back ihm doch keinen Kuchen mehr.　　*Ich würde ihm* _____

c) Kauf dir doch wieder ein Auto.

d) Er muss sich eine neue Stelle suchen.

e) Er soll sich neue Freunde suchen.

f) Ärgere dich doch nicht über ihn.

g) Er kann doch morgens spazieren gehen.

h) Sag ihm doch mal deine Meinung.

i) Er soll selbst einkaufen gehen.

j) Sprich doch mit ihm über euer Problem.

Zu Lektion

3

Wiederholung

8. Was passt wo? (Einige Ergänzungen passen zu verschiedenen Verben.)

von seiner Krankheit	für die schlechte Qualität	für eine Schiffsreise
vom Urlaub　　mit der Schule　　für den Brief　　über ihren Hund		auf den Sommer
von seinem Bruder　　mit der Untersuchung　　um eine Zigarette		für meine Tochter
auf das Wochenende　　auf den Urlaub　　auf eine bessere Regierung		um Auskunft
mit dem Frühstück　　um die Adresse　　um eine Antwort		für die Verspätung
auf besseres Wetter　　mit der Arbeit　　von ihrem Unfall		über die Regierung
auf das Essen　　für ein Haus　　um Feuer　　über den Sportverein		auf Sonne

a) sich _____ │ ärgern
　　 _____ │ aufregen
　　 … │ unterhalten

b) _____ … aufhören

c) _____ … bitten

d) sich _____ … entschuldigen

e) _____ … │ sprechen
　　　　　　　　　　　│ erzählen

f) sich _____ … freuen

g) _____ … hoffen

h) _____ … sparen

Zu Lektion

3

Wiederholung

9. In welchen Sätzen kann oder muss man „sich" ergänzen, in welchen nicht?

a) Sie hat _____ den Mantel ausgezogen.

b) Sie hat _____ die Wohnung aufgeräumt.

c) Sie hat _____ ein Steak gegessen.

d) Sie hat _____ ein Steak bestellt.

e) Sie hat _____ ein Auto geliehen.

f) Sie hat _____ das Fahrrad bezahlt.

g) Sie hat _____ die Zähne geputzt.

h) Sie hat _____ die Hände gewaschen.

i) Sie hat _____ den Termin vergessen.

j) Sie hat _____ an den Termin nicht erinnert.

k) Sie hat _____ einen Platz reservieren lassen.

l) Sie hat _____ das Auto noch nicht angemeldet.

m) Sie hat _____ für den Sprachkurs angemeldet.

n) Sie hat _____ ein gutes Essen gekocht.

o) Sie hat _____ schnell Deutsch gelernt.

p) Sie hat _____ eine Halskette gewünscht.

q) Sie hat _____ eine Zeitung gelesen.

r) Sie hat _____ eine Wohnung gemietet.

10. Was passt nicht?

Zu Lektion

4

Wiederholung

a) Die Arbeit ist *anstrengend – angenehm – arm – gefährlich – interessant.*
b) Ludwig arbeitet *selbständig – sozial – schnell – langsam – alleine.*
c) Die Fabrik produziert *Exporte – Autos – Waschmaschinen – Lastwagen – Kleidung.*
d) In der Firma werden *Lampen – Batterien – Glühbirnen – Spiegel – Jobs* hergestellt.

11. Wo passen die Wörter am besten?

Zu Lektion

4

Wiederholung

Wirtschaft Handel Besitzer Geld Energie Arbeitnehmer Auto Industrie

a) Diesel – Benzin – Öl – Gas: _____
b) Import – Export – Kaufmann – verkaufen: _____
c) Fabrik – Technik – Maschinen – Arbeiter – produzieren: _____
d) Lohn – Gehalt – Rente – Steuern: _____
e) Handel – Industrie – Export – Import – kapitalistisch – Konkurrenz: _____
f) Job – Lohn – arbeiten – kündigen – streiken – arbeitslos: _____
g) Benzin – Motor – Bremse – Tankstelle – Werkstatt – Panne: _____
h) Chef – Arbeitgeber – reich – Firma – Fabrik: _____

12. Sagen Sie es anders.

Zu Lektion

4

Wiederholung

Man hat vergesssen

a) das Auto zu waschen,   *Das Auto wurde nicht gewaschen.*
b) das Fahrlicht zu reparieren.   *Das Fahrlicht* _____
c) die Reifen zu wechseln.   _____
d) den neuen Spiegel zu montieren. _____
e) die Handbremse zu prüfen.   _____
f) die Sitze zu reinigen.   _____
g) das Blech am Wagenboden zu schweißen. _____

13. Ergänzen Sie.

Zu Lektion

5

Wiederholung

| sich unterhalten   kennenlernen   sich aufregen   sich streiten   heiraten
küssen   lügen   flirten   lieben |
|---|

a) Mann, Frau, Kirche, Ring: _____
b) Menschen, neu, sich vorstellen: _____
c) Problem, sich nicht verstehen, laut sprechen: _____
d) Menschen, Mund, Gesicht, sich mögen: _____
e) Menschen, sich sehr gern haben: _____
f) über etwas sprechen, Gespräch: _____
g) sich ärgern, laut sein, nervös sein, schimpfen: _____
h) nicht die Wahrheit sagen, nicht ehrlich sein: _____
i) Mann, Frau, sympathisch finden, anschauen, nett sein, sich unterhalten: _____

Lektion 10

Zu Lektion

5

Wiederholung

14. Ordnen Sie.

Tante   Angestellte   Ehemann   Bekannte   Tochter   Bruder   Vater
   Chef   Opa   Mutter   Sohn
Schwester   Freundin   Großmutter   Kollegin   Nachbar   Eltern   Onkel

verwandt	nicht verwandt
Mutter	

Zu Lektion

5

Wiederholung

15. Sagen Sie es anders. Verwenden Sie einen Infinitivsatz oder einen „dass"-Satz. Manchmal sind auch beide möglich.

a) Skifahren kann man lernen. Versuch es doch mal! Es ist nicht schwierig.
   Versuch doch mal Ski fahren zu lernen. Es ist nicht schwierig.

b) Im nächsten Sommer fahre ich wieder mit dir in die Türkei. Das verspreche ich dir.

c) Bei diesem Wetter willst du das Auto waschen? Das hat doch keinen Zweck.

d) Ich suche meinen Regenschirm. Kannst du mir dabei helfen?

e) Johanna und Albert haben viel zu früh geheiratet. Das ist meine Meinung.

f) Es schneit nicht mehr. Es hat aufgehört.

g) Ich möchte gerne ein bisschen Fahrrad fahren. Hast du Lust?

h) Heute gehe ich nicht schwimmen. Ich habe keine Zeit.

i) Du solltest weniger rauchen, finde ich.

Zu Lektion

6

Wiederholung

16. Ordnen Sie.

Katze   Nebel   Küste   Rasen   Park   Wald   Wolke   Regen   Schnee
Kalb   Hund   Wind   Pferd   Gebirge   See   Sonne   Schwein
Hügel   Insel   Tal   Vieh   Eis   Feld   Strand   Baum
   Fluss   Berg   Blume   Fisch   Klima
Gras   Huhn   Ufer   Vogel   Kuh   schneien   regnen   Gewitter
         Bach   Meer

Tiere	Pflanzen	Landschaft	Wetter

17. Ergänzen Sie.

a) Das ist meine Schwester, _____ jetzt in Afrika lebt.

b) Das ist das Haus, _____ _____ ich lange gewohnt habe.

c) Das ist mein Bruder Bernd, _____ _____ ich dir gestern erzählt habe.

d) Hier siehst du den alten VW, _____ ich zwölf Jahre gefahren habe.

e) Das ist der Mann, _____ _____ ich den ersten Kuss bekommen habe.

f) Das sind Freunde, _____ _____ ich vor zwei Jahren im Urlaub war.

g) Das sind die Nachbarn, _____ _____ Kinder ich manchmal aufpasse.

h) Und hier ist die Kirche, _____ _____ ich geheiratet habe.

i) Hier siehst du einen Bekannten, _____ _____ Schwester ich studiert habe.

j) Das ist die Tante, _____ alten Schrank ich bekommen habe.

k) Hier siehst du meine Großeltern, _____ jetzt im Altersheim wohnen.

18. Was passt nicht?

a) *ausziehen:* den Mantel, aus der Wohnung, aus der Stadt, die Jacke

b) *beantragen:* einen Pass, ein Visum, einen Ausweis, eine Frage, eine Erlaubnis

c) *bestehen:* die Untersuchung, den Test, das Examen, die Prüfung, das Diplom

d) *fliegen:* in den Urlaub, nach Paris, mit einem kleinen Flugzeug, über den Wolken, mit dem Auto

e) *verstehen:* die Sprache, kein Wort, den Text, den Fernseher, das Problem, die Frage, Frau Behrens, den Film

f) *vorschlagen:* einen Plan, eine Lösung des Problems, eine Reise nach Berlin, eine Schwierigkeit, ein neues Gesetz

g) *reservieren:* das Gepäck, ein Hotelzimmer, einen Platz im Flugzeug, eine Theaterkarte

h) *packen:* den Koffer, eine Reisetasche, das Hemd in den Koffer, das Auto in die Garage

19. Ergänzen Sie.

a) Hand : Seife / Zähne : _____

b) Geschirr : spülen / Wäsche : _____

c) Seife, Waschmittel, Zahnpasta, … : Drogerie / Medikamente : _____

d) Hände : waschen / Zähne : _____

e) Auto : Benzin / Waschmaschine : _____

Lektion 10

f) Licht : Schalter / Feuer : _____

g) Fleisch braten : Pfanne / Suppe kochen : _____

h) einen Tag : Ausflug / mehrere Tage : _____

i) zwischen zwei Zimmern : Tür / zwischen zwei Staaten : _____

j) Montag bis Freitag : Arbeitstage / Samstag und Sonntag : _____

k) Hotel : Zimmer / Campingplatz : _____

l) Suppe : Löffel / Fleisch : _____ und Messer

m) Wörter : Lexikon / Telefonnummern : _____

n) klein : Dorf / groß : _____

o) sieben Tage : Woche / 365 Tage : _____

p) das eigene Land : Heimatland / das fremde Land : _____

Zu Lektion

7

Wiederholung

20. Ergänzen Sie die Fragesätze.

Birgits Freund Werner hatte einen Autounfall. Eine Freundin ruft sie an und möchte wissen, was passiert ist. Birgit weiß selbst noch nichts. Was sagt Birgit?

a) ○ Wurde Werner schwer verletzt?
   □ Ich weiß auch noch nicht, *ob er* _____

b) ○ Wie lange muss er im Krankenhaus bleiben?
   □ Der Arzt konnte mir nicht sagen, *wie lange* _____

c) ○ Wo ist der Unfall passiert?
   □ Ich habe noch nicht gefragt, _____

d) ○ War noch jemand im Auto?
   □ Ich kann dir nicht sagen, _____

e) ○ Wohin wollte er denn fahren?
   □ Er hat mir nicht erzählt, _____

f) ○ Ist der Wagen ganz kaputt?
   □ Ich weiß nicht, _____

g) ○ Kann man ihn schon besuchen?
   □ Ich habe den Arzt noch nicht gefragt, _____

h) ○ Bezahlt die Versicherung die Reparatur des Wagens?
   □ Ich habe die Versicherung noch nicht gefragt, _____

21. Welches Verb passt nicht?

Zu Lektion

8

Wiederholung

a) verlieren – fordern – streiken – verlangen – demonstrieren

b) erklären – erinnern – beschreiben – zeigen

c) diskutieren – sprechen – erzählen – sagen – lachen

d) kontrollieren – prüfen – kritisieren – testen – untersuchen

e) passieren – geschehen – los sein – hören

f) trinken – schreiben – lesen – hören – sprechen

g) stehen – liegen – hängen – schaffen – stellen – legen

h) schaffen – feiern – Erfolg haben – klappen – gewinnen

i) hören – sehen – fühlen – erinnern – schmecken

j) fehlen – weg sein – nicht da sein – finden

k) bringen – treffen – holen – nehmen

l) lachen – weinen – sterben – Spaß haben – traurig sein

22. Schlagzeilen aus der Presse. Ergänzen Sie die Präpositionen.

Zu Lektion

8

Wiederholung

> zwischen   unter   bei   durch   während   von…bis   über   seit   nach   auf
> mit   gegen   von…nach   aus   in   bis

a) Autobahn _____ das Rothaargebirge wird doch nicht gebaut

b) Ostern: Wieder viel Verkehr _____ unseren Straßen

c) 1000 Arbeiter _____ VW entlassen

d) U-Bahn _____ Bornum _____ List fertig: 40 000 fahren jetzt

   täglich _____ der Erde

e) _____ Bremen und Glasgow gibt es jetzt eine direkte Flugverbindung

f) Autobahn A 31 jetzt _____ Amsterdam fertig

g) Flüge _____ den Atlantik werden billiger

h) Lastwagen _____ Haus gefahren. Fahrer schwer verletzt _____

   Krankenhaus

i) Theatergruppe _____ China zu Gast _____ Düsseldorf

j) Parken im Stadtzentrum _____ 9.00 _____ 18.00 Uhr jetzt ganz

   verboten

k) Halbe Preise bei der Bahn für Jugendliche _____ 25 und für Rentner

   _____ 60

l) Apotheker streiken: _____ der Feiertage kein Notdienst?

m) Stadt muss sparen: Weniger U-Bahnen _____ Mitternacht

n) Probleme in der Landwirtschaft: _____ fünf Wochen kein Regen

o) Der Sommer beginnt: _____ zwei Wochen öffnen die Schwimmbäder

p) Aktuelles Thema bei der Frauenärzte-Konferenz: _____ 40 Jahren noch ein

   Kind?

q) Stadtbibliothek noch _____ Montag geschlossen

r) Alkoholprobleme in den Betrieben: Viele trinken auch _____ der Arbeitszeit

Lektion 10

Zu Lektion

8

Wiederholung

23. Ergänzen Sie.

> Katastrophe   Demokratie   Bürger   *Krieg*   Zukunft   Soldaten
>   Kabinett   Präsident   Partei   Gesetze   Nation

a) Volk, Bevölkerung : Bürger / Armee, Militär : _____

b) Firma : Chef / Staat : _____

c) Verein : Mitglieder / Staat : _____

d) Sport : Verein / Politik : _____

e) zwischen Menschen : Streit / zwischen Staaten : _____

f) Fußballspieler : Mannschaft / Minister : _____

g) wenige Menschen bestimmen : Diktatur / das Volk entscheidet : _____

h) Spiel: Regel / Staat : _____

i) Verwandte : Familie / Bürger : _____

j) gestern : Geschichte / morgen : _____

k) schlimm : Problem / besonders schlimm : _____

Zu Lektion

9

Wiederholung

24. Was passt?

a) Kopf : denken / Herz : _____

b) Bett : liegen / Stuhl : _____

c) Brief : schreiben / Telefon : _____

d) Sache : wissen / Person : _____

e) Geschirr : spülen / Wäsche : _____

f) Mund : sprechen / Ohr : _____

g) Geschichte : erzählen / Lied : _____

h) wissen : antworten / wissen wollen : _____

i) traurig sein : weinen / sich freuen : _____

j) sauber machen : putzen / Ordnung machen : _____

Zu Lektion

9

Wiederholung

25. Ordnen Sie.

> sich verbrennen   sich gewöhnen   sich interessieren   sich bewerben
>
> sich unterhalten   sich begrüßen   sich erinnern   sich verstehen   sich beeilen
>
> sich beschweren   sich schlagen   sich besuchen   sich treffen   sich anrufen
>
> sich duschen   sich ärgern   sich anziehen   sich setzen
>
> sich streiten   sich ausruhen   sich verabreden   sich einigen

man macht es allein	man macht es zusammen mit einer anderen Person

26. Ergänzen Sie die Pronomen.

Zu Lektion

9

Wiederholung

a) ○ Bernd, soll ich ___*dir*___ das Essen warm machen?

   □ Nein danke, ich mache _____ _____ selber warm.

b) ○ Kinder, soll ich _____ die Hände waschen?

   □ Nein, wir waschen _____ _____ selber.

c) ○ Kann deine Tochter _____ die Schuhe selber anziehen?

   □ Ja, sie kann _____ _____ selber anziehen, aber sie braucht dafür sehr viel Zeit.
   Deshalb ziehe ich _____ _____ meistens an. Das geht schneller.

d) ○ Frau Herbart, soll ich _____ Ihre Jacke bringen?

   □ Nein danke, ich hole _____ _____ selber.

e) ○ Mama, wir sind durstig. Kannst du _____ zwei Flaschen Saft geben?

   □ Nein, ihr müsst _____ _____ selber aus dem Kühlschrank holen.

f) ○ Haben Ines und Georg _____ dieses tolle Auto wirklich gekauft?

   □ Nein, es gehört nicht ihnen, sie haben _____ _____ geliehen.

27. Ergänzen Sie.

Zu Lektion

10

Wiederholung

weiblich	Gemüse	drinnen	springen	Badewanne	Hunger	Autor	Monate	
		Titel		Gras	Boot		Vieh	
Wolke	nähen	Geburt	zählen	atmen		schütten	Soldat	Rezept

a) Mensch : Name / Buch : _____

b) Straße : Auto / Fluss : _____

c) 6 + 5 = 11 : rechnen / 1, 2, 3, 4, 5, … : _____

d) trinken : Durst / essen : _____

e) Ende : Tod / Anfang : _____

f) Haus : bauen / Kleider : _____

g) Saft, Wasser, Wein : gießen / Zucker, Mehl, Salz : _____

h) im Garten : draußen / im Haus : _____

i) Mann : männlich / Frau : _____

j) schwimmen und baden : Schwimmbad / sich baden und waschen : _____

k) 2 Kilometer, 2 Stunden : gehen / 6 Meter weit, 2 Meter hoch : _____

l) Straße : Stein / Wiese : _____

m) Wasser : trinken / Luft : _____

n) Haus bauen : Bauplan / kochen : _____

o) im Haus, in der Wohnung : Haustiere / im Stall auf dem Bauernhof : _____

p) Bild, Zeichnung : Maler / Roman, Gedicht : _____

q) Feuer : Rauch / Regen : _____

r) Apfel : Obst / Gurke : _____

s) Dienstag, Donnerstag : Tage / August, Dezember : _____

t) Polizei : Polizist / Militär : _____

Lektion 10

28. Ordnen Sie.

a) Ort und Raum

auf der Brücke   über unserer Wohnung   aus Berlin   oben   neben der Schule
nach Italien   dort   draußen   drinnen   gegen den Stein   vom Einkaufen
hinter der Tür   nach links   bei Dresden   aus der Schule   bei Frau Etzard
rechts im Schrank   im Restaurant   unten   ins Hotel   aus dem Kino   hier
zwischen der Kirche und der Schule   aus dem Haus   zu Herrn Berger   vor dem Haus
am Anfang der Straße   vom Arzt   bis zur Kreuzung   von der Freundin

wo?	woher?	wohin?

b) Zeit

bald   damals   danach   dann   dauernd   am folgenden Tag   in der Nacht
schon drei Wochen   früher   gestern   gleich   um halb acht   heute
immer   häufig   irgendwann   oft   am letzten Montag   manchmal
eine Woche lang   im nächsten Jahr   meistens   morgens   jetzt   regelmäßig
seit gestern   selten   sofort   später   ständig   täglich   jeden Abend
letzte Woche   vorher   während der Arbeit   zuerst   zuletzt   dienstags
den ganzen Tag   sechs Stunden   vor dem Mittagessen   bis morgen

wann?	wie lange (schon/noch)?	wie häufig?

29. Was passt am besten?

Glas   Tip   laufen   frisch   tief   krank
breit   hart   Milch   einschlafen   oder   müde
Wand   schenken   selbst   Brot   geboren   Satz

a) schmal – _____
b) hoch – _____
c) und – _____
d) Mauer – _____
e) allein – _____
f) Wort – _____

g) Flasche – _____
h) alt – _____
i) Rat – _____
j) gestorben – _____
k) gesund – _____
l) weich – _____

m) Käse – _____
n) Mehl – _____
o) aufwachen – _____
p) stehen – _____
q) schlafen – _____
r) Geburtstag – _____

30. Schreiben Sie eine Zusammenfassung für den Text von Anna Wimschneider.

Zu Lektion

10

Wiederholung

Lesen Sie vorher noch einmal den Text von Anna Wimschneider auf den Seiten 126 und 127 im Kursbuch. Sie können die folgenden Hilfen verwenden.

- mit ihrern Eltern und Großeltern auf einem Bauernhof in Bayern (Anna)
- acht Geschwister
- im Sommer 1927 bei der Geburt des achten Kindes sterben (Mutter)
- keine Mutter mehr (Familie)
- im Haus und bei der Ernte helfen (Nachbarn)
- viel Arbeit, bald keine Lust mehr (Nachbarn)
- müssen arbeiten (Kinder)
- die Hausarbeit machen (Anna)
- zeigen, wie man kocht (Nachbarin)
- morgens Schule, nachmittags und abends arbeiten (Anna)
- mit neun Jahren kochen können (Anna)
- vor allem Milch, Kartoffeln und Brot essen (Familie)
- sehr arm sein, sehr einfach leben (Familie)
- oft Hunger haben, Kartoffeln für die Schweine essen (Kinder)
- schlafen (Vater, Großeltern, Kinder)
- kaputte Kleider nähen und flicken, bis abends um 10 Uhr (Anna)
- schwere Arbeit, traurig, oft weinen (Anna)
- älter sein, einen Mann (Albert) kennen lernen (Anna)
- den Hof seiner Eltern bekommen (Albert)
- 1939 heiraten (Albert und Anna)
- nicht feiern, am Hochzeitstag arbeiten (Albert und Anna)
- für die Familie und Eltern von Albert sorgen (Anna)
- sehr arm sein, sehr viel arbeiten
- zur Armee gehen müssen (Albert)
- Feldarbeit und Hausarbeit machen (Anna)
- helfen (niemand)
- nichts tun (Schwiegermutter)
- sehr unglücklich (Anna)

Schlüssel

Lektion 1

1. positiv: nett, lustig, sympathisch, intelligent, freundlich, attraktiv, ruhig, hübsch, schön, schlank, gemütlich
   negativ: dumm, langweilig, unsympathisch, hässlich, dick, komisch, nervös, unfreundlich

2. a) hübsch b) intelligent c) alt d) attraktiv e) hässlich f) jung g) nett

3. a) finde · – b) ist · – / sieht · aus c) ist · – d) finde · – e) ist · – / sieht · aus f) ist · –
   g) ist · – h) ist · – / sieht · aus i) finde · –

4. a) ein bisschen / etwas b) über (etwa / ungefähr) c) nur / bloß (genau) d) viel e) mehr f) über
   g) fast h) genau

5. a) Die kleine Nase · Die schwarzen Haare · Das hübsche Gesicht · Die braune Haut
   b) Die gefährlichen Augen · Das schmale Gesicht · Die dünnen Haare · Die helle Haut
   c) Das lustige Gesicht · Die starken Arme · Der dicke Bauch · Der große Appetit
   d) Die langen Beine · Die dicken Lippen · Der dünne Bauch · Die große Nase

6. a) stark b) schlank c) rund d) groß e) kurz

7. a) Den billigen Fotoapparat hat Bernd ihm geschenkt. b) Die komische Uhr hat Petra ihm geschenkt.
   c) Das langweilige Buch hat Udo ihm geschenkt. d) Den hässlichen Pullover hat Inge ihm geschenkt.
   e) Den alten Kuchen hat Carla ihm geschenkt. f) Den sauren Wein hat Dagmar ihm geschenkt.
   g) Die unmoderne Jacke hat Horst ihm geschenkt. h) Den kaputten Kugelschreiber hat Holger ihm
   geschenkt. i) Das billige Radio hat Rolf ihm geschenkt.

8. a) gelb b) rot (gelb) c) weiß d) blau (grün) e) schwarz f) grün g) braun

9. a) Welches Kleid findest du besser, das lange oder das kurze? b) Welchen Mantel findest du besser, den
   gelben oder den braunen? c) Welche Jacke findest du besser, die grüne oder die weiße? d) Welchen
   Pullover findest du besser, den dicken oder den dünnen? e) Welche Mütze findest du besser, die kleine
   oder die große? f) Welche Hose findest du besser, die blaue oder die rote? g) Welche Handschuhe findest du besser, die weißen oder die schwarzen?

10. nie → fast nie / sehr selten → selten → manchmal → oft → sehr oft → meistens / fast immer → immer

11. a) Wie hässlich! So ein dicker Hals gefällt mir nicht. b) … So eine lange Nase gefällt mir nicht.
    c) … So ein trauriges Gesicht gefällt mir nicht. d) … So ein dicker Bauch gefällt mir nicht. e) … So
    kurze Beine gefallen mir nicht. f) … So dünne Arme gefallen mir nicht. g) … So ein großer Mund
    gefällt mir nicht. h) … So eine schmale Brust gefällt mir nicht.

12. a) die Jacke b) das Kleid c) die Schuhe d) die Bluse e) der Rock f) die Strümpfe g) die Mütze
    h) der Mantel i) der Pullover j) die Handschuhe k) die Hose

13. a) Haare b) Kleidung c) Mensch / Charakter d) Aussehen

14. a) … einen dicken Bauch. … kurze Beine. … große Füße. … kurze Haare. … eine runde Brille. … ein
    schmales Gesicht. … eine lange (große) Nase. … einen kleinen Mund. b) Sein Bauch ist dick. … kurz.
    … groß. … kurz. … rund. … schmal. … lang (groß). … klein. c) Sie hat große Ohren. … lange Haare.
    … eine kleine Nase. … einen schmalen Mund. … lange Beine. … ein rundes Gesicht. … kleine Füße.
    … einen dicken Hals. d) Ihre Ohren sind groß. … lang. … klein. … schmal. … lang. … rund. … klein.
    … dick.

15. a) schwarzen · weißen b) blauen · gelben c) schwere · dicken d) dunklen · roten
    e) weißes · blauen f) braune · braunen

16. ein roter Mantel   einen roten Mantel   einem roten Mantel
    eine braune Hose   eine braune Hose   einer braunen Hose
    ein blaues Kleid   ein blaues Kleid   einem blauen Kleid
    neue Schuhe   neue Schuhe   neuen Schuhen

17. a) schwarzen · weißen b) blaue · roten c) braunen · grünen d) helle · gelben e) rote · schwarzen

Schlüssel

18. der rote Mantel   den roten Mantel   dem roten Mantel
    die braune Hose   die braune Hose   der braunen Hose
    das blaue Kleid   das blaue Kleid   dem blauen Kleid
    die neuen Schuhe   die neuen Schuhe   den neuen Schuhen

19. **a)** ○ Du suchst doch eine Bluse.   **d)** ○ Du suchst doch einen Rock.
    Wie findest du die hier?   Wie findest du den hier?
    ❏ Welche meinst du?   ❏ Welchen meinst du?
    ○ Die weiße.   ○ Den roten.
    ❏ Die gefällt mir nicht.   ❏ Der gefällt mir nicht.
    ○ Was für eine möchtest du denn?   ○ Was für einen möchtest du denn?
    ❏ Eine blaue.   ❏ Einen gelben.

   b) ○ Du suchst doch eine Hose.   **e)** ○ Du suchst doch Schuhe.
    Wie findest du die hier?   Wie findest du die hier?
    ❏ Welche meinst du?   ❏ Welche meinst du?
    ○ Die braune.   ○ Die blauen.
    ❏ Die gefällt mir nicht.   ❏ Die gefallen mir nicht.
    ○ Was für eine möchtest du denn?   ○ Was für welche möchtest du denn?
    ❏ Eine schwarze.   ❏ Weiße.

   c) ○ Du suchst doch ein Kleid.
    Wie findest du das hier?
    ❏ Welches meinst du?
    ○ Das kurze.
    ❏ Das gefällt mir nicht.
    ○ Was für eins möchtest du denn?
    ❏ Ein langes.

20. Was für ein Mantel?   Was für einen Mantel?   Mit was für einem Mantel?
    Welcher Mantel?   Welchen Mantel?   Mit welchem Mantel?

    Was für eine Hose?   Was für eine Hose?   Mit was für einer Hose?
    Welche Hose?   Welche Hose?   Mit welcher Hose?

    Was für ein Kleid?   Was für ein Kleid?   Mit was für einem Kleid?
    Welches Kleid?   Welches Kleid?   Mit welchem Kleid?

    Was für Schuhe?   Was für Schuhe?   Mit was für Schuhen?
    Welche Schuhe?   Welche Schuhe?   Mit welchen Schuhen?

21. **a)** Musiker **b)** Onkel **c)** Tochter **d)** Meter (m) **e)** Ehemann **f)** Kollege **g)** Hemd
h) Hochzeitsfeier **i)** Brille **j)** voll **k)** keine Probleme

22. **a)** Welcher   Dieser   **b)** Welchen   Diesen   **c)** welchem   diesem
    Welche   Diese   Welches   Dieses   welcher   dieser
    Welche   Diese   Welche   Diese   welchem   diesem
    Welches   Dieses   Welche   Diese   welchen   diesen

23. **a)** Arbeitgeberin · Angestellte **b)** Arbeitsamt **c)** pünktlich **d)** verrückt **e)** angenehme **f)** Prozess
g) Stelle **h)** Ergebnis **i)** kritisieren **j)** Typ **k)** Wagen **l)** Test

24. **a)** Alle · manche **b)** jeden · manche **c)** allen · jedem **d)** alle · manche

25. jeder   jede   jedes   alle   manche
    jeden   jede   jedes   alle   manche
    jedem   jeder   jedem   allen   manchen

26. pro: Du hast recht. Das stimmt. Das ist richtig. Das ist auch meine Meinung. Das finde ich auch.
        Ich glaube das auch. Einverstanden! Das ist wahr.
   contra: Ich bin anderer Meinung. Das finde ich nicht. Das ist falsch. Das ist Unsinn. So ein Quatsch!
        Das stimmt nicht. Das ist nicht wahr.

27. **a)** lügen **b)** verlangen **c)** zahlen **d)** tragen **e)** kritisieren **f)** kündigen

Schlüssel

Lektion 2

1. a) Peter möchte Zoodirektor werden, weil er Tiere mag. · Weil Peter Tiere mag, möchte er Zoodirektor werden. **b)** Gabi will Sportlerin werden, weil sie eine Goldmedaille gewinnen möchte. · Weil Gabi eine Goldmedaille gewinnen möchte, will sie Sportlerin werden. **c)** Sabine will Fotomodell werden, weil sie schöne Kleider mag. · Weil Sabine schöne Kleider mag, will sie Fotomodell werden. **d)** Paul möchte Nachtwächter werden, weil er abends nicht früh ins Bett gehen mag. · Weil Paul abends nicht früh ins Bett gehen mag, möchte er Nachtwächter werden. **e)** Sabine will Fotomodell werden, weil sie viel Geld verdienen möchte. · Weil Sabine viel Geld verdienen möchte, will sie Fotomodell werden. **f)** Paul will Nachtwächter werden, weil er nachts arbeiten möchte. · Weil Paul nachts arbeiten möchte, will er Nachtwächter werden. **g)** Julia will Dolmetscherin werden, weil sie dann oft ins Ausland fahren kann. · Weil Julia dann oft ins Ausland fahren kann, will sie Dolmetscherin werden. **h)** Julia möchte Dolmetscherin werden, weil sie gern viele Sprachen verstehen möchte. · Weil Julia gern viele Sprachen verstehen möchte, möchte sie Dolmetscherin werden. **i)** Gabi will Sportlerin werden, weil sie die Schnellste in ihrer Klasse ist. · Weil Gabi die Schnellste in ihrer Klasse ist, will sie Sportlerin werden.

Ihre Grammatik. Ergänzen Sie.

	Junktor	Vorfeld	Verb$_1$	Subj.	Erg.	Ang.	Ergänzung	Verb$_2$	Verb$_1$ im Nebensatz
a)		Peter	möchte				Zoodirektor	werden,	
	denn	er	mag				Tiere.		
		Peter	möchte				Zoodirektor	werden,	
	weil			er			Tiere		mag.
b)		Gabi	will				Sportlerin	werden,	
	denn	sie	möchte				eine Goldmedaille	gewinnen.	
		Gabi	will				Sportlerin	werden,	
	weil			sie			eine Goldmedaille	gewinnen	möchte.
c)		Sabine	will				Fotomodell	werden,	
	denn	sie	mag				schöne Kleider.		
		Sabine	will				Fotomodell	werden,	
	weil			sie			schöne Kleider		mag.

2. a) wollte **b)** will **c)** wollten **d)** wolltest **e)** wollt **f)** wollten **g)** willst **h)** wolltet **i)** wollte **j)** wollen

3. will · willst · will · wollen · wollt · wollen · wollen
wollte · wolltest · wollte · wollten · wolltet · wollten · wollten

4. a) Verkäufer **b)** Ausbildung **c)** verdienen **d)** Schauspielerin **e)** Zahnarzt **f)** Zukunft **g)** Maurer **h)** kennen lernen **i)** Klasse

5. a) klein · jung **b)** bekannt · schlank **c)** frisch · einfach **d)** zufrieden · freundlich

Schlüssel

6.

konnte	durfte	sollte	musste
konntest	durftest	solltest	musstest
konnte	durfte	sollte	musste
konnten	durften	sollten	mussten
konntet	durftet	solltet	musstet
konnten	durften	sollten	mussten
konnten	durften	sollten	mussten

7. a) weil **b)** obwohl **c)** obwohl **d)** weil **e)** weil **f)** obwohl **g)** obwohl

Junktor	Vorfeld	Verb₁	Subj.	Erg.	Ang.	Ergänzung	Verb₂	Verb₁ im Nebensatz
d)	Herr Schmidt	konnte			nicht mehr	als Maurer	arbeiten,	
weil			er			einen Unfall		hatte.
e)	Frau Voller	sucht				eine neue Stelle,		
weil			sie			nicht genug		verdient.
f)	Frau Mars	liebt				ihren Beruf,		
obwohl			die Arbeit		manchmal	sehr anstrengend		ist.
g)	Herr Gansel	musste				Landwirt	werden,	
obwohl			er	es	gar nicht			wollte.

8. a) Wenn du Bankkaufmann werden willst, dann musst du jetzt eine Lehrstelle suchen. · ..., dann such jetzt schnell eine Lehrstelle. **b)** Wenn du studieren willst, dann musst du aufs Gymnasium gehen. · ..., dann geh aufs Gymnasium. **c)** Wenn du sofort Geld verdienen willst, dann musst du die Stellenanzeigen in der Zeitung lesen. · ..., dann lies die Stellenanzeigen in der Zeitung. **d)** Wenn du nicht mehr zur Schule gehen willst, dann musst du einen Beruf lernen. · ..., dann lern einen Beruf. **e)** Wenn du noch nicht arbeiten willst, dann musst du weiter zur Schule gehen. · ..., dann geh weiter zur Schule. **f)** Wenn du später zur Fachhochschule gehen willst, dann musst du jetzt zur Fachoberschule gehen. · ..., dann geh jetzt zur Fachoberschule. **g)** Wenn du einen Beruf lernen willst, dann musst du die Leute beim Arbeitsamt fragen. · ..., dann frag die Leute beim Arbeitsamt.

9. a) Kurt sucht eine andere Stelle, weil er mehr Geld verdienen will. · Weil Kurt mehr Geld verdienen will, sucht er eine andere Stelle. **b)** Herr Bauer ist unzufrieden, weil er eine anstrengende Arbeit hat. · Weil Herr Bauer eine anstrengende Arbeit hat, ist er unzufrieden. **c)** Eva ist zufrieden, obwohl sie wenig Freizeit hat. · Obwohl Eva wenig Freizeit hat, ist sie zufrieden. **d)** Hans kann nicht studieren, wenn er ein schlechtes Zeugnis bekommt. · Wenn Hans ein schlechtes Zeugnis bekommt, (dann) kann er nicht studieren. **e)** Herbert ist arbeitslos, weil er einen Unfall hatte. · Weil Herbert einen Unfall hatte, ist er arbeitslos. **f)** Ich nehme die Stelle, wenn ich nicht nachts arbeiten muss. · Wenn ich nicht nachts arbeiten muss, (dann) nehme ich die Stelle.

10. a) Lehre **b)** Semester **c)** mindestens **d)** Gymnasium **e)** Nachteil **f)** Zeugnis **g)** Bewerbung **h)** beginnen **i)** Grundschule

11. a) B **b)** A **c)** A **d)** B

12. a) Deshalb **b)** und **c)** dann **d)** Sonst **e)** Trotzdem **f)** Aber **g)** denn **h)** sonst **i)** dann **j)** aber **k)** Trotzdem

Schlüssel

	Junktor	Vorfeld	Verb$_1$	Subj.	Erg.	Ang.	Ergänzung	Verb$_2$
a)		Für Akademiker	gibt	es			wenig Stellen.	
		Deshalb	haben	viele Studenten			Zukunftsangst.	
b)		Die Studenten	wissen		das	natürlich		
	und	die meisten	sind			nicht	optimistisch.	
c)		Man	muss			einfach	besser	sein,
		dann	findet	man		bestimmt	eine Stelle.	
d)		Du	musst			zuerst	das Abitur	machen.
		Sonst	kannst	du		nicht		studieren.
e)		Ihr	macht	das Studium			keinen Spaß.	
		Trotzdem	studiert	sie				weiter.
f)		Sie	hat				viele Bewerbungen	geschrieben,
	Aber	sie	hat				keine Stelle	gefunden.
g)		Sie	lebt			noch	bei ihren Eltern,	
	denn	eine Wohnung	kann	sie		nicht		bezahlen.

13. a) Die Studenten studieren weiter, obwohl sie ihre schlechten Berufschancen kennen. **b)** Vera ist schon 27 Jahre alt. Trotzdem wohnt sie immer noch bei den Eltern. **c)** Obwohl Manfred nicht mehr zur Schule gehen will, soll er den Realschulabschluss machen. **d)** Jens kann schon zwei Fremdsprachen. Trotzdem will er Englisch lernen. **e)** Obwohl Eva Lehrerin werden sollte, ist sie Krankenschwester geworden. **f)** Obwohl ein Doktortitel bei der Stellensuche wenig hilft, schreibt Vera eine Doktorarbeit. **g)** Es gibt zu wenig Stellen für Akademiker. Trotzdem hat Konrad Dehler keine Zukunftsangst. **h)** Obwohl Bernhard das Abitur gemacht hat, möchte er lieber einen Beruf lernen. **i)** Doris hat sehr schlechte Arbeitszeiten. Trotzdem möchte sie keinen anderen Beruf.

14. a) Thomas möchte nicht mehr zur Schule gehen, weil er lieber einen Beruf lernen möchte. · Thomas möchte lieber einen Beruf lernen. Deshalb möchte er nicht mehr zur Schule gehen. **b)** Jens findet seine Stelle nicht gut, denn er hat zu wenig Freizeit. · Jens hat zu wenig Freizeit. Deshalb findet er seine Stelle nicht gut. **c)** Herr Köster kann nicht arbeiten, weil er gestern einen Unfall hatte. · Herr Köster hatte gestern einen Unfall. Deshalb kann er nicht arbeiten. **d)** Manfred soll noch ein Jahr zur Schule gehen, weil er keine Stelle gefunden hat. · Manfred hat keine Stelle gefunden. Deshalb soll er noch ein Jahr zur Schule gehen. **e)** Vera wohnt noch bei ihren Eltern, denn sie verdient nur wenig Geld. · Vera verdient nur wenig Geld. Deshalb wohnt sie noch bei ihren Eltern. **f)** Kerstin kann nicht studieren, weil sie nur die Hauptschule besucht hat. · Kerstin hat nur die Hauptschule besucht. Deshalb kann sie nicht studieren. **g)** Conny macht das Studium wenig Spaß, denn an der Uni gibt es eine harte Konkurrenz. · An der Uni gibt es eine harte Konkurrenz. Deshalb macht das Studium Conny wenig Spaß. **h)** Simon mag seinen Beruf nicht, denn er wollte eigentlich Automechaniker werden. · Simon wollte eigentlich Automechaniker werden. Deshalb mag er seinen Beruf nicht. **i)** Herr Bender möchte weniger arbeiten, weil er zu wenig Zeit für seine Familie hat. · Herr Bender hat zu wenig Zeit für seine Famlie. Deshalb möchte er weniger arbeiten.

15. a) – · er **b)** sie · – **c)** – · er **d)** sie · – **e)** – · sie **f)** – · er **g)** – · sie **h)** er · – **i)** sie · – **j)** – · sie **k)** – · er

16. großes · deutschen · attraktive · junge · eigenen · neues
neue · neuen
großes · jungen · interessanten · gutes · sichere berufliche · modernen

17. a) Heute ist der zwölfte Mai. · ... der achtundzwanzigste Februar. · ... der erste April. · ... der dritte August **b)** Am siebten April. · Am siebzehnten Oktober · Am elften Januar · Am einunddreißigsten März **c)** Nein, wir haben heute den dritten. · Nein, wir haben heute den vierten. · Nein, wir haben heute den siebten. · Nein, wir haben heute den achten. **d)** Vom vierten April bis zum achten März. Vom dreiundzwanzigsten Januar bis zum zehnten September. · Vom vierzehnten Februar bis zum ersten Juli. · Vom siebten April bis zum zweiten Mai.

18. ○ Maurer.
   ❑ Hallo Petra, hier ist Anke.
   ○ Hallo Anke!
   ❑ Na, wie geht's? Hast du schon eine neue Stelle?
   ○ Ja, drei Angebote. Am interessantesten finde ich eine Firma in Offenbach.
   ❑ Und? Erzähl mal!
   ○ Da kann ich Chefsekretärin werden. Die Kollegen sind nett, und das Gehalt ist auch ganz gut.
   ❑ Und was machst du? Nimmst du die Stelle?
   ○ Ich weiß noch nicht. Nach Offenbach sind es 35 Kilometer. Das ist ziemlich weit.
   ❑ Das ist doch nicht schlimm. Dann musst du nur ein bisschen früher aufstehen.
   ○ Aber du weißt doch, ich schlafe morgens gern lange.
   ❑ Ja, ja, ich weiß. Aber findest du das wichtiger als eine gute Stelle? …

19. **a)** Student **b)** Betrieb **c)** Kantine **d)** Inland **e)** ausgezeichnet **f)** lösen **g)** arbeitslos **h)** Rente **i)** Import **j)** Hauptsache **k)** auf jeden Fall **l)** dringend **m)** anfangen **n)** Monate

20. **a)** Gehalt **b)** Kunde **c)** Termin **d)** bewerben **e)** Religion **f)** Zeugnis

21. **a)** macht **b)** bestimmen **c)** gehen **d)** besuchen **e)** aussuchen **f)** geschafft **g)** versprechen

22. **a)** verdienen **b)** sprechen **c)** schreiben **d)** studieren **e)** korrigieren **f)** kennen **g)** hören **h)** anbieten **i)** werden **j)** dauern **k)** lesen

Lektion 3

1. **a)** Kultur **b)** Unterhaltung **c)** Werbung **d)** Medizin **e)** Gewinn **f)** Gott **g)** Orchester **h)** Information **i)** Pilot **j)** spielen

2. Unterhaltungsmusik, Unterhaltungssendung, …
   Spielfilm, Kinderfilm, …
   Nachmittagsprogramm, Kulturprogramm, …

3. **a)** Uhrzeit **b)** Telefon **c)** Nachmittagsprogramm **d)** Tier **e)** Tierarzt **f)** zu spät **g)** Auto **h)** tot **i)** vergleichen

4. Ein Flugzeug fliegt von Los Angeles nach Chicago. Die Stewardess serviert ein Fischgericht; aber kurze Zeit danach werden der Pilot und die meisten Passagiere krank. Zum Glück ist unter den Passagieren, die nicht gegessen haben, ein ehemaliger Vietnam-Pilot, Ted Striker. Er ist noch nie mit einem Jumbo geflogen, aber die Bodenstation gibt ihm Anweisungen und so kann er mit dem Jumbo landen.
   (Andere Lösungen sind möglich.)

5. **a)** Wir · uns **b)** ihr · euch **c)** dich · ich · mich **d)** sie · sich **e)** Sie · sich **f)** Er · sich **g)** sich

6. **a)** Du · dich · anziehen **b)** ich · mich · duschen **c)** wir · uns · entscheiden **d)** Sie · sich · gelegt **e)** Setzen Sie sich **f)** stellt euch **g)** Sie · sich · vorgestellt **h)** Ihr · euch · waschen **i)** sich · beworben

7.

ich	du	er	sie	es	man	wir	ihr	sie	Sie
mich	dich	sich	sich	sich	sich	uns	euch	sich	sich

8. **a)** über die **b)** über ihn **c)** auf die **d)** in der **e)** mit dem **f)** über den **g)** mit dem **h)** über den **i)** Über das **j)** mit der **k)** für ihren **l)** mit der

9. den Film · die Musik · das Programm · die Sendungen
   den Film · die Musik · das Programm · die Sendungen
   den Film · die Musik · das Programm · die Sendungen
   den Film · die Musik · das Programm · die Sendungen

   dem Plan · der Meinung · dem Geschenk · den Antworten
   dem Plan · der Meinung · dem Geschenk · den Antworten

Schlüssel

10. a) Worüber · über · Darüber **b)** Worüber · Über · darüber **c)** Wofür · Für · Dafür
d) Womit · Mit · Damit **e)** Worauf · Auf · Darauf **f)** Worauf · Auf · Darauf

11. a) Mit wem · Mit · mit ihr **b)** Für wen · Für · für sie **c)** Mit wem · Mit · Mit der / Mit ihr **d)** Über
wen · Über · Über mich **e)** Auf wen · Auf · auf den / auf ihn

12. worüber?/über wen?   darüber/über sie
worauf?/auf wen?   darauf/auf sie
wofür?/für wen?   dafür/für ihn
wonach?/nach wem?   danach/nach ihm
womit?/mit wem?   damit/mit ihm

13.

	Vorfeld	Verb$_1$	Subjekt	Erg.	Angabe	Ergänzung	Verb$_2$
a)	Wofür	interessiert	Bettina	sich	am meisten?		
b)	Bettina	interessiert		sich	am meisten	für Sport.	
c)	Für Sport	interessiert	Bettina	sich	am meisten.		
d)	Am meisten	interessiert	Bettina	sich		für Sport.	
e)	Für Sport	hat	Bettina	sich	am meisten		interessiert.

14. a) sie würde gern noch mehr Urlaub machen. **b)** sie hätte gern noch mehr Autos. **c)** sie wäre gern
noch schlanker. **d)** sie würde gern noch länger fernsehen. **e)** sie würde gern noch mehr verdienen.
f) sie hätte gern noch mehr Hunde. **g)** sie würde gern noch länger schlafen. **h)** sie wäre gern noch at-
traktiver. **i)** sie würde gern noch besser aussehen. **j)** sie würde gern noch mehr Sprachen sprechen.
k) sie hätte gern noch mehr Kleider. **l)** sie wäre gern noch reicher. **m)** sie würde gern noch mehr Leute
kennen. **n)** sie würde gern noch öfter Ski fahren. **o)** sie würde gern noch öfter einkaufen gehen.
p) sie würde gern noch mehr über Musik wissen.

15. a) Es wäre gut, wenn er weniger arbeiten würde. **b)** Es wäre gut, wenn ich weniger essen würde. **c)** Es
wäre gut, wenn sie wärmere Kleidung tragen würde. **d)** Es wäre gut, wenn Sie früher aufstehen
würden. **e)** Es wäre gut, wenn ich (mir) ein neues Auto kaufen würde. **f)** Es wäre gut, wenn ich (mir)
eine andere Wohnung suchen würde. **g)** Es wäre gut, wenn ich jeden Tag 30 Minuten laufen würde.
h) Es wäre gut, wenn er eine andere Stelle suchen würde. **i)** Es wäre gut, wenn wir netter wären.

16.

gehe	gehst	geht	gehen	geht	gehen	gehen
würde	würdest	würde	würden	würdet	würden	würden
gehen	gehen	gehen	gehen	gehen	gehen	gehen
bin	bist	ist	sind	seid	sind	sind
wäre	wärest	wäre	wären	wäret	wären	wären
habe	hast	hat	haben	habt	haben	haben
hätte	hättest	hätte	hätten	hättet	hätten	hätten

17. a) wichtig **b)** sauber sein **c)** Firma **d)** Schule **e)** leicht

18. a) Literatur **b)** Kunst **c)** sich ärgern **d)** Schatten **e)** Hut **f)** Himmel **g)** Glückwunsch
h) Kompromiss **i)** Gedanke **j)** Material **k)** raten **l)** Mond **m)** singen **n)** Radio

19. Gabriela, 20, ist Straßenpantomimin. Sie zieht von Stadt zu Stadt und spielt auf Plätzen und Straßen. Die
Leute mögen ihr Spiel, nur wenige regen sich darüber auf. Gabriela sammelt Geld bei den Leuten. Sie
verdient ganz gut, aber sie muss regelmäßig spielen. Früher hat sie mit Helmut zusammen gespielt. Er war
auch Straßenkünstler. Ihr hat das freie Leben gefallen. Zuerst hat sie nur für Helmut Geld gesammelt,
aber dann hat sie auch selbst getanzt. Nach einem Krach mit Helmut hat sie einen Schnellkurs für
Pantomimen gemacht. Sie findet ihr Leben unruhig, aber sie möchte keinen anderen Beruf. *(Andere
Lösungen sind möglich.)*

20. a) ist **b)** hat **c)** hätte **d)** wäre **e)** hat **f)** war **g)** war **h)** hatten **i)** wäre **j)** wäre **k)** hat **l)** ist
m) würde **n)** hätten **o)** hat **p)** hat **q)** wären **r)** würde **s)** wären **t)** hätte **u)** wäre **v)** würde
w) hätte **x)** hatte

Schlüssel

21. **a)** Bart **b)** Pfennig **c)** auspacken **d)** Vorstellung **e)** Zuschauer **f)** ausruhen **g)** Finger **h)** Minuten **i)** Krach **j)** weinen **k)** malen **l)** Baum

22. **a)** möglich **b)** Qualität **c)** Kaufhaus **d)** Spezialität **e)** Eingang / Ausgang **f)** Lautsprecher **g)** öffentlich **h)** regelmäßig **i)** feucht **j)** nützen **k)** kaum **l)** Ordnung

23. **a)** laut sein **b)** gern haben **c)** sich beschweren **d)** legen **e)** leihen **f)** verbieten **g)** lachen **h)** sich ausruhen

24. **a)** dürfte **b)** könnte **c)** müsste **d)** solltest **e)** könnte **f)** könnte · müsste **g)** müsste **h)** dürfte

25.

müsste	müsstest	müsste	müssten	müsstet	müssten	müssten
dürfte	dürftest	dürfte	dürften	dürftet	dürften	dürften
könnte	könntest	könnte	könnten	könntet	könnten	könnten
sollte	solltest	sollte	sollten	solltet	sollten	sollten

Lektion 4

1. **a)** Leistung **b)** Kosten **c)** Alter **d)** Gewicht **e)** Länge **f)** Geschwindigkeit **g)** Benzinverbrauch

2. **a)** schnell **b)** klein **c)** leise **d)** lang **e)** niedrig / tief **f)** preiswert / billig **g)** viel **h)** stark **i)** schwer

3. neue · stärkerer · höhere · größerer · breiteren · bequemeren · stärkeren · saubereren · neuen · besseren · niedrigere · niedrigere · neue · größere · modernere · bessere

4. höchste, höchste, höchsten, höchsten   niedriger, niedrige, niedriges, niedrige
höchsten, höchste, höchste, höchsten   niedrigen, niedrige, niedriges, niedrige
höchsten, höchsten, höchsten, höchsten   niedrigen, niedrigen, niedrigen, niedrigen

5. **a)** als **b)** wie **c)** wie **d)** als **e)** wie **f)** als **g)** als **h)** wie

6. **a)** Das neue Auto verbraucht mehr Benzin, als man mir gesagt hat.   **b)** Das neue Auto verbraucht genauso wenig Benzin, wie man mir gesagt hat.   **c)** Die Kosten für einen Renault sind genauso hoch, wie du gesagt hast.   **d)** Der Motor ist viel älter, als der Autoverkäufer uns gesagt hat.   **e)** Der Wagen fährt schneller, als im Prospekt steht.   **f)** Der Wagen fährt so schnell, wie Renault in der Anzeige schreibt.   **g)** Es gibt den Wagen auch mit einem schwächeren Motor, als der Autoverkäufer mir erzählt hat.   **h)** Kleinwagen sind nicht so unbequem, wie ich früher gemeint habe. / ... bequemer, als ich früher gemeint habe.

7. **a)** gehen **b)** fließen **c)** fahren **d)** fahren **e)** gehen

8. **a)** Benzin **b)** Lampe **c)** Werkzeug **d)** Spiegel **e)** Bremsen **f)** Panne **g)** Reifen **h)** Batterie **i)** Werkstatt **j)** Unfall

9. **a)** baden **b)** schwierig **c)** zu schwierig **d)** blond **e)** nimmt **f)** gut laufen

10. 1. D   2. G   3. B   4. F   5. B   6. A   7. G   8. E   9. F   10. A   11. D   12. C   13. E   14. C

11. ○ Mein Name ist Becker. Ich möchte meinen Wagen bringen.
   □ Ach ja, Frau Becker. Sie haben gestern angerufen. Was ist denn kaputt?
   ○ Die Bremsen ziehen immer nach rechts, und der Motor braucht zuviel Benzin.
   □ Noch etwas?
   ○ Nein, das ist alles. Wann kann ich das Auto abholen?
   □ Morgen Nachmittag.
   ○ Morgen Nachmittag erst? Aber gestern am Telefon haben Sie mir doch gesagt, Sie können es heute noch reparieren.
   □ Es tut mir leid, Frau Becker, aber wir haben so viel zu tun. Das habe ich gestern nicht gewusst.
   ○ Das interessiert mich nicht. Sie haben es versprochen!
   □ Ja, da haben Sie Recht, Frau Becker. Na gut, wir versuchen es, vielleicht geht es ja heute doch noch.

Schlüssel

12. verlieren   Öl, Benzin, Brief, Brille, Führerschein, Geld, Haare, Hemd, Pullover
      schneiden   Blech, Kuchen, Haare, Bart, Brot, Gemüse, Wurst, Papier, Fleisch
      waschen   Wagen, Pullover, Haare, Hände, Kind, Auto, Hals, Fleisch, Gemüse, Hemd

13. a) Hier wird ein Auto abgeholt. **b)** Hier wird ein Motor repariert. **c)** Hier wird ein Rad gewechselt. **d)** Hier wird getankt. **e)** Hier werden die Bremsen geprüft. **f)** Hier wird geschweißt. **g)** Hier wird ein Auto gewaschen. **h)** Hier wird die Werkstatt sauber gemacht. **i)** Hier wird Öl geprüft. **j)** Hier wird eine Rechnung bezahlt. **k)** Hier wird ein Radio montiert. **l)** Hier wird nicht gearbeitet.

14. ich: werde abgeholt   du: wirst abgeholt   Sie: werden abgeholt   er / sie / es / man: wird abgeholt
wir: werden abgeholt   ihr: werdet abgeholt   sie / Sie: werden abgeholt

15. a) Die Kinder werden vom Vater geweckt. **b)** Die Kinder werden von der Mutter angezogen. **c)** Das Frühstück wird vom Vater gemacht. **d)** Die Kinder werden vom Vater zur Schule gebracht. **e)** Das Geschirr wird vom Geschirrspüler gespült. **f)** Die Wäsche wird von der Waschmaschine gewaschen. **g)** Das Kinderzimmer wird von den Kindern aufgeräumt. **h)** Der Hund wird von den Kindern gebadet. **i)** Die Kinder werden vom Vater und von der Mutter ins Bett gebracht. **j)** Die Wohnung wird vom Vater geputzt. **k)** Das Essen wird vom Vater gekocht. **l)** Das Geld wird von der Mutter verdient.

16.

	Vorfeld	Verb$_1$	Subjekt	Erg.	Angabe	Ergänzung	Verb$_2$
a)	Die Karosserien	werden			von Robotern		geschweißt.
b	Roboter	schweißen				die Karosserien.	
c)	Morgens	wird	das Material		mit Zügen		gebracht.
d)	Züge	bringen			morgens	das Material.	
e)	Der Vater	bringt		die Kinder		ins Bett.	
f)	Die Kinder	werden			vom Vater	ins Bett	gebracht.

17. a) C   **b)** A   **c)** C   **d)** B   **e)** C   **f)** C

18. a) A. 1, 6, 8, 11   B. 4, 5, 9, 12   C. 2, 3, 7, 10
b) A. Wenn ich Autoverkäufer wäre, würde ich Provisionen bekommen. Ich könnte Kredite und Versicherungen besorgen. Ich müsste auch Büroarbeit machen, und natürlich würde ich Autos verkaufen.
B. Wenn ich Tankwart wäre, hätte ich oft unregelmäßige Arbeitszeiten. Ich wäre meistens an der Kasse. Ich müsste auch technische Arbeiten machen und würde Benzin, Autozubehörteile und andere Artikel verkaufen.
C. Wenn ich Berufskraftfahrerin wäre, hätte ich keine leichte Arbeit. Ich hätte oft unregelmäßige Arbeitszeiten und wäre oft von der Familie getrennt. Ich müsste immer pünktlich ankommen.
(Andere Lösungen sind möglich.)

19. a) angerufen · angerufen   **b)** repariert · repariert   **c)** aufgemacht · aufgemacht   **d)** versorgt · versorgt
e) bedient · bedient   **f)** verkauft · verkauft   **g)** gewechselt · gewechselt   **h)** beraten · beraten
i) angemeldet · angemeldet   **j)** besorgt · besorgt   **k)** gepflegt · gepflegt   **l)** montiert · montiert
m) kontrolliert · kontrolliert   **n)** vorbereitet · vorbereitet   **o)** zurückgegeben · zurückgegeben
p) eingeschaltet · eingeschaltet   **q)** bezahlt · bezahlt   **r)** gekündigt · gekündigt   **s)** geschrieben ·
geschrieben   **t)** geliefert · geliefert

20. a) Fahrlehrer(in), Taxifahrer(in), Berufskraftfahrer(in)   **b)** Autoverkäufer(in), Sekretär(in), Buchhalter(in)   **c)** Mechaniker(in), Tankwart(in), Meister(in)   **d)** Facharbeiter(in), Schichtarbeiter(in), Roboter

21. a) mit   **b)** in   **c)** für   **d)** für   **e)** mit   **f)** Für   **g)** vor   **h)** für   **i)** über   **j)** von   **k)** bei   **l)** auf   **m)** Als

22. a) Hobby   **b)** Feierabend   **c)** Industrie   **d)** Arbeitszeit   **e)** Haushalt   **f)** Kredit

23. Herr Behrens, was sind Sie von Beruf? · Sind Sie selbständig? · Wie alt sind Sie? · Von wann bis wann arbeiten Sie? · Und wann schlafen Sie? · Ist das nicht schlecht für das Familienleben? · Warum können Sie denn nicht schlafen? · Was ist Ihre Frau von Beruf? · Und Sie haben Kinder, nicht wahr? · Wann arbeitet Ihre Frau? · Was machen Sie nachmittags? · Warum machen Sie überhaupt Schichtarbeit?

24. **a)** ruhig **b)** zusammen **c)** sauber **d)** selten **e)** wach **f)** leer **g)** mehr **h)** allein **i)** gleich

25. **a)** Überstunden **b)** Krankenversicherung **c)** Schichtarbeit **d)** Lohn **e)** Gehalt
f) Arbeitslosenversicherung **g)** Haushaltsgeld **h)** Kredit **i)** Rentenversicherung **j)** Steuern

26. **a)** 5 **b)** 2 **c)** 3 **d)** 6 **e)** 8 **f)** 7 **g)** 1 **h)** 4

Lektion 5

1. Morgen fange ich an mehr Obst zu essen. … früher schlafen zu gehen. … öfter Sport zu treiben.
… weniger fernzusehen. … weniger Bier zu trinken. … weniger Geld auszugeben. … die Woh-
nung regelmäßig aufzuräumen. … meine Eltern öfter zu besuchen. … die Rechnungen schneller zu
bezahlen. … mich täglich zu duschen. … immer die Schuhe zu putzen. … öfter zum Zahnarzt zu
gehen. … nicht mehr zu lügen. … früher aufzustehen. … mehr spazieren zu gehen. … immer
eine Krawatte anzuziehen. … besser zu arbeiten. … ein Gartenhaus zu bauen. … billiger einzu-
kaufen. … regelmäßig Fahrrad zu fahren. … besser zu frühstücken. … regelmäßig die Blumen zu
gießen. … besser zu kochen. … eine Fremdsprache zu lernen. … öfter Zeitung zu lesen.
… Maria öfter Blumen mitzubringen. … mehr Briefe zu schreiben. … weniger zu telefonieren.
(Andere Lösungen sind möglich.)

2. *trennbare Verben (rechte Seite):* anzufangen, anzurufen, a,ufzuhören, aufzupassen, aufzuräumen,
aufzustehen, auszupacken, auszuruhen, auszusteigen, auszuziehen, einzukaufen, einzupacken,
einzuschlafen, einzusteigen, fernzusehen, nachzudenken, vorbeizukommen, wegzufahren, zuzuhören,
zurückzugeben.
Alle anderen sind untrennbar (linke Seite).

3. **a)** attraktiv · unattraktiv **b)** treu · untreu **c)** ehrlich · unehrlich **d)** sauber · schmutzig
e) interessant · langweilig **f)** höflich · unhöflich **g)** ruhig (leise) · laut **h)** sportlich · unsportlich
i) sympathisch · unsympathisch **j)** freundlich · unfreundlich **k)** hübsch (schön) · hässlich
l) fröhlich · traurig **m)** pünktlich · unpünktlich **n)** intelligent · dumm **o)** ruhig · nervös
p) normal · verrückt **q)** zufrieden · unzufrieden

4. **a)** dicke **b)** neue **c)** neugierigen **d)** jüngstes **e)** verrückten **f)** klugen **g)** lustigen **h)** hübschen
i) neuen **j)** neue · alte **k)** älteste **l)** sympathischen **m)** roten **n)** langen **o)** kurzen **p)** sportlichen

5. *Berufe:* Pilot, Verkäufer, Zahnärztin, Musikerin, Kaufmann, Kellnerin, Künstler, Lehrerin, Ministerin,
Politiker, Polizist, Schauspielerin, Schriftsteller, Soldat, Fotografin, Friseurin, Journalistin, Bäcker
Familie / Menschen …: Nachbar, Tante, Schwester, Bruder, Ehemann, Eltern, Kollege, Tochter,
Bekannte, Sohn, Ehefrau, Kind, Freund, Vater, Mutter

6. **a)** Leider hatte ich keine Zeit Dich anzurufen. **b)** Nie hilfst du mir die Wohnung aufzuräumen.
c) Hast du nicht gelernt pünktlich zu sein? **d)** Hast du vergessen Gaby einzuladen? **e)** Morgen
fange ich an Französisch zu lernen. **f)** Jochen hatte letzte Woche keine Lust (mit mir) ins Kino zu
gehen. **g)** Meine Kollegin hatte gestern keine Zeit mir zu helfen. **h)** Mein Bruder hat versucht mein
Auto zu reparieren. (Aber es hat nicht geklappt.) **i)** Der Tankwart hat vergessen den Wagen zu
waschen.

7. **a)** nie **b)** fast nie **c)** sehr selten **d)** selten / nicht oft **e)** manchmal **f)** oft / häufig **g)** sehr oft
h) meistens **i)** fast immer **j)** immer

8. **A.a)** Ich habe Zeit mein Buch zu lesen. **b)** Ich versuche mein Fahrrad selbst zu reparieren. **c)** Es
macht mir Spaß mit kleinen Kindern zu spielen. **d)** Ich helfe dir deinen Koffer zu tragen. **e)** Ich
habe vor im August nach Spanien zu fahren. **f)** Ich habe die Erlaubnis heute eine Stunde früher
Feierabend zu machen. **g)** Ich habe Probleme abends einzuschlafen **h)** Ich habe Angst nachts
durch den Park zu gehen. **i)** Ich höre (ab morgen) auf Zigaretten zu rauchen. **j)** Ich verbiete dir
in die Stadt zu gehen. **k)** Ich habe (gestern) vergessen dir den Brief zu bringen. **l)** Ich habe nie
gelernt Auto zu fahren. **m)** Ich habe Lust spazieren zu gehen.

B.a) Es ist wichtig das Auto zu reparieren. **b)** Es ist langweilig allein zu sein. **c)** Es ist gefährlich
im Meer zu baden. **d)** Es ist interessant andere Leute zu treffen. **e)** Es ist lustig mit Kindern zu
spielen. **f)** Es ist falsch zu viel Fisch zu essen. **g)** Es ist richtig regelmäßig Sport zu treiben.
h) Es ist furchtbar einen Freund zu verlieren. **i)** Es ist unmöglich alles zu wissen. **j)** Es ist leicht
neue Freunde zu finden. **k)** Es ist schwer wirklich gute Freunde zu finden. … *(Andere Lösungen
sind möglich.)*

Schlüssel

9. **a)** duschen **b)** hängt **c)** ausmachen **d)** Mach · an **e)** wecken **f)** Ruf · an
g) entschuldigen · vergessen **h)** telefoniert **i)** reden **j)** erzählt

10. **a)** anrufen **b)** entschuldigen **c)** telefonieren **d)** ausmachen **e)** kritisieren **f)** unterhalten **g)** reden

11. **a)** den Fernseher, das Licht, das Radio **b)** Frau Keller, Ludwig, meinen Chef **c)** mit meinem Kind, mit dem Ehepaar Klausen, mit seiner Schwester **d)** die Küche, das Haus, das Büro **e)** auf eine bessere Zukunft, auf ein besseres Leben, auf besseres Wetter

12. **a)** Meine Freundin glaubt, dass alle Männer schlecht sind. **b)** Ich habe gehört, dass Inge einen neuen Freund hat. **c)** Peter hofft, dass seine Freundin ihn bald heiraten will. **d)** Wir wissen, dass Peters Eltern oft Streit haben. **e)** Helga hat erzählt, dass sie eine neue Wohnung gefunden hat. **f)** Ich bin überzeugt, dass es besser ist, wenn man jung heiratet. **g)** Frank hat gesagt, dass er heute Abend eine Kollegin besuchen will. **h)** Ich meine, dass man viel mit seinen Kindern spielen soll. **i)** Ich habe mich (darüber) gefreut, dass du mich zu deinem Geburtstag eingeladen hast.

13. **a)** B **b)** A **c)** C **d)** B **e)** C **f)** A

14. (Kein Schlüssel.)

15. **a)** Ich bin auch / Ich bin nicht überzeugt, dass Geld nicht glücklich macht. **b)** Ich glaube auch / Ich glaube nicht, dass es sehr viele schlechte Ehen gibt. **c)** Ich finde auch / Ich finde nicht, dass man ohne Kinder freier ist. **d)** Ich bin auch / Ich bin nicht der Meinung, dass die meisten Männer nicht gern heiraten. **e)** Es stimmt / Es stimmt nicht, dass die Liebe das Wichtigste im Leben ist. **f)** Es ist wahr / Es ist falsch, dass reiche Männer immer interessant sind. **g)** Ich meine auch / Ich meine nicht, dass schöne Frauen meistens dumm sind. **h)** Ich denke auch / Ich denke nicht, dass Frauen harte Männer mögen. **i)** Ich bin dafür / Ich bin dagegen, dass man heiraten muss, wenn man Kinder will.

16. Starke und unregelmäßige Verben

anfangen	angefangen	heißen	geheißen	singen	gesungen
beginnen	begonnen	kennen	gekannt	sitzen	gesessen
bekommen	bekommen	kommen	gekommen	sprechen	gesprochen
bringen	gebracht	laufen	gelaufen	stehen	gestanden
denken	gedacht	lesen	gelesen	tragen	getragen
einladen	eingeladen	liegen	gelegen	treffen	getroffen
essen	gegessen	nehmen	genommen	tun	getan
fahren	gefahren	rufen	gerufen	vergessen	vergessen
finden	gefunden	schlafen	geschlafen	verlieren	verloren
fliegen	geflogen	schneiden	geschnitten	waschen	gewaschen
geben	gegeben	schreiben	geschrieben	wissen	gewusst
gehen	gegangen	schwimmen	geschwommen		
halten	gehalten	sehen	gesehen		

Schwache Verben

abholen	abgeholt	einkaufen	eingekauft	lieben	geliebt
abstellen	abgestellt	erzählen	erzählt	machen	gemacht
antworten	geantwortet	feiern	gefeiert	parken	geparkt
arbeiten	gearbeitet	glauben	geglaubt	putzen	geputzt
aufhören	aufgehört	heiraten	geheiratet	rechnen	gerechnet
baden	gebadet	holen	geholt	reisen	gereist
bauen	gebaut	hören	gehört	sagen	gesagt
besichtigen	besichtigt	kaufen	gekauft	schenken	geschenkt
bestellen	bestellt	kochen	gekocht	spielen	gespielt
besuchen	besucht	lachen	gelacht	suchen	gesucht
bezahlen	bezahlt	leben	gelebt	tanzen	getanzt
brauchen	gebraucht	lernen	gelernt	zeigen	gezeigt

17. **a)** Im **b)** Nach dem **c)** vor dem **d)** Nach der **e)** Am **f)** Im **g)** Bei den / Während der **h)** vor der **i)** Am **j)** In den **k)** Am **l)** Während der **m)** Beim **n)** Am Anfang

18.

vor dem Besuch	vor der Arbeit	vor dem Abendessen	vor den Sportsendungen
nach dem Besuch	nach der Arbeit	nach dem Abendessen	nach den Sportsendungen
bei dem Besuch	bei der Arbeit	bei dem Abendessen	bei den Sportsendungen
während dem Besuch	während der Arbeit	während dem Abendessen	während den Sportsendungen
während des Besuchs	während der Arbeit	während des Abendessens	während der Sportsendungen
am Abend		am Wochenende	an den Sonntagen
im letzten Sommer	in der letzten Woche	im letzten Jahr	in den letzten Jahren

19. a) Marias Jugendzeit war sehr hart. Eigentlich hatte sie nie richtige Eltern. Als sie zwei Jahre alt war, ist ihr Vater gestorben. Ihre Mutter hat ihren Mann nie vergessen und hat mehr an ihn als an ihre Tochter gedacht. Maria war deshalb sehr oft allein, aber das konnte sie mit zwei Jahren natürlich noch nicht verstehen. Ihre Mutter ist gestorben, als sie vierzehn Jahre alt war. Maria hat dann bei ihrem Großvater gelebt. Mit 17 Jahren hat sie geheiratet, das war damals normal. Ihr erstes Kind, Adele, hat sie bekommen, als sie 19 war. Mit 30 hatte sie schließlich sechs Kinder.
b) Adele hat als Kind in einem gutbürgerlichen Elternhaus gelebt. Wirtschaftliche Sorgen hat die Familie nicht gekannt. Nicht die Eltern, sondern ein Kindermädchen hat die Kinder erzogen. Sie hatte auch einen Privatlehrer. Mit ihren Eltern konnte sich Adele nie richtig unterhalten, sie waren ihr immer etwas fremd. Was sie gesagt haben, mussten die Kinder unbedingt tun. Wenn z. B. die Mutter nachmittags geschlafen hat, durften die Kinder nicht laut sein und spielen. Manchmal hat es auch Ohrfeigen gegeben. Als sie 15 Jahre alt war, ist Adele in eine Mädchenschule gekommen. Dort ist sie bis zur Mittleren Reife geblieben. Dann hat sie Kinderschwester gelernt. Aber eigentlich hat sie es nicht so wichtig gefunden einen Beruf zu lernen, denn sie wollte auf jeden Fall lieber heiraten und eine Familie haben. Auf Kinder hat sie sich besonders gefreut. Die wollte sie dann aber freier erziehen, als sie selbst erzogen worden war; denn an ihre eigene Kindheit hat sie schon damals nicht so gern zurückgedacht.
c) Ingeborg hatte ein wärmeres und freundlicheres Elternhaus als ihre Mutter Adele. Auch in den Kriegsjahren hat sich Ingeborg bei ihren Eltern sehr sicher gefühlt. Aber trotzdem, auch für sie war das Wort der Eltern Gesetz. Wenn z. B. Besuch in Haus war, dann mussten die Kinder gewöhnlich in ihrem Zimmer bleiben und ganz ruhig sein. Am Tisch durften sie nur dann sprechen, wenn man sie gefragt hat. Die Eltern haben Ingeborg immer den Weg gezeigt. Selbst hat sie nie Wünsche gehabt. Auch in ihrer Ehe war das so. Heute kritisiert sie das.
d) Ulrike wollte schon früh anders leben als ihre Eltern. Für sie war es nicht mehr normal, immer nur das zu tun, was die Eltern gesagt haben. Noch während der Schulzeit ist sie deshalb zu Hause ausgezogen. Ihre Eltern konnten das am Anfang nur schwer verstehen. Mit 17 Jahren hat sie ein Kind bekommen. Das haben alle viel zu früh gefunden. Den Mann wollte sie nicht heiraten. Trotzdem ist sie mit dem Kind nicht allein geblieben. Ihre Mutter, aber auch ihre Großmutter haben ihr geholfen.
(Andere Lösungen sind möglich.)

20. a) hieß b) nannte c) besuchte d) erzählte e) heiratete f) war g) ging h) sah i) wohnte j) schlief k) gab l) wollte m) liebte n) fand o) half p) arbeitete q) verdiente r) hatte s) trug t) las

21. a) Als meine Eltern in Paris geheiratet haben, waren sie noch sehr jung. b) Als ich sieben Jahre alt war, hat mir mein Vater einen Hund geschenkt. c) Als meine Schwester vor fünf Jahren ein Kind bekam, war sie 30 Jahre alt. d) Als Sandra die Erwachsenen störte, durfte sie trotzdem im Zimmer bleiben. e) Als er noch ein Kind war, hatten seine Eltern oft Streit. f) Als meine Großeltern noch lebten, war es zu Hause nicht so langweilig. g) Als wir im Sommer in Spanien waren, war das Wetter sehr schön.

22. Als er ein Jahr alt war, hat er laufen gelernt.
Als er drei Jahre alt war, hat er immer nur Unsinn gemacht.
Als er vier Jahre alt war, hat er sich ein Fahrrad gewünscht.
Als er fünf Jahre alt war, hat er schwimmen gelernt.
Als er sieben Jahre alt war, ist er vom Fahrrad gefallen.
Als er acht Jahre alt war, hat er sich nicht gerne gewaschen.
Als er zehn Jahre alt war, hat er viel gelesen.
Als er vierzehn Jahre alt war, hat er jeden Tag drei Stunden telefoniert.
Als er fünfzehn Jahre alt war, hat er Briefmarken gesammelt.
Als er achtzehn Jahre alt war, hat er sich sehr für Politik interessiert.
Als er vierundzwanzig Jahre alt war, hat er geheiratet.

23. a) Wenn b) Als c) Wenn d) Als e) Als f) wenn g) Als h) Wenn i) Wenn j) Als

Schlüssel

24. a) über die **b)** über die **c)** mit meinen **d)** mit meinen **e)** für das **f)** um die **g)** auf **h)** an ihren · an ihre

25. a) verschieden **b)** Sorgen **c)** Wunsch **d)** deutlich **e)** Damals **f)** aufpassen **g)** anziehen · ausziehen **h)** Besuch · allein **i)** früh · schließlich · hart **j)** unbedingt

26. a) Das neue Auto meines ältesten Bruders ist schon kaputt. **b)** Die Mutter meines zweiten Mannes ist sehr nett. **c)** Die Schwester meiner neuen Freundin hat geheiratet. **d)** Der Freund meines jüngsten Kindes ist leider sehr laut. **e)** Die beiden / Die zwei Kinder meiner neuen Freunde gehen schon zur Schule. **f)** Der Verkauf des alten Wagens war sehr schwierig. **g)** Die Mutter des kleinen Kindes ist vor zwei Jahren gestorben. **h)** Der Chef der neuen Autowerkstatt in der Hauptstraße ist mein Freund. **i)** Die Reparatur der schwarzen Schuhe hat sehr lange gedauert.

die Mutter meines zweiten Mannes	der Verkauf des alten Wagens
die Schwester meiner neuen Freundin	der Chef der neuen Werkstatt
der Freund meines jüngsten Kindes	die Mutter des kleinen Kindes
die Kinder meiner neuen Freunde	die Reparatur der blauen Schuhe

27. a) sich langweilen **b)** Besuch **c)** schlagen **d)** Gesetz **e)** leben **f)** fühlen **g)** schwimmen

28. a) Vater **b)** Sohn **c)** Tochter **d)** Eltern **e)** Tante **f)** Großmutter **g)** Nichte **h)** Neffe **i)** Enkelin **j)** Onkel **k)** Großvater **l)** Mutter **m)** Urgroßmutter **n)** Urgroßvater **o)** Enkel

Lektion 6

1. a) nass und kühl **b)** heiß und trocken **c)** kalt **d)** feucht und kühl **e)** warm und trocken

2. angenehm, freundlich, schön, gut, schlecht, mild, unfreundlich, unangenehm

3. Landschaft / Natur: Tier, Pflanze, Meer, Berg, Blume, Insel, See, Strand, Fluss, Wald, Boden, Wiese, Park, Baum
Wetter: Gewitter, Grad, Regen, Klima, Wind, Wolke, Schnee, Eis, Sonne, Nebel

4. a) viel, zu viel, ein paar **b)** ein bisschen, sehr, besonders **c)** sehr, besonders, ganz **d)** ganz, einige, zu viele

5. a) schneit es **b)** Es regnet **c)** gibt es **d)** geht es **e)** klappt es **f)** Es ist so kalt **g)** gibt es

6. a) Sie **b)** Es **c)** es **d)** Er **e)** Sie **f)** Es **g)** Es **h)** Sie **i)** es **j)** Er **k)** Er **l)** Es **m)** Es **n)** Er
In welchen Sätzen …? b), c), f), g), i), l), m)

7. wie? plötzlich, langsam, allmählich
wie oft? jeden Tag, täglich, jedes Jahr, manchmal, selten
wann? gegen Mittag, im Herbst, nachts, am Tage, zwischen Sommer und Winter
wie lange? für wenige Wochen, fünf Jahre, ein paar Monate, wenige Tage

8.
```
          Norden
              ↑
Westen  ←   ✦   →  Osten
              ↓
          Süden
```

9. a) Sommer **b)** Herbst **c)** Winter **d)** Frühling

10. a) vor zwei Tagen **b)** spät am Abend **c)** am Mittag **d)** in zwei Tagen **e)** früh am Morgen **f)** am Nachmittag

11. a) am Mittag **b)** früh abends **c)** spätabends **d)** am frühen Nachmittag **e)** am späten Nachmittag **f)** frühmorgens **g)** am frühen Vormittag **h)** am Abend

12. a) Samstagmittag **b)** Freitagmittag **c)** Dienstagabend **d)** Montagvormittag **e)** Montagnachmittag **f)** Samstagmorgen

13. Wann? im Winter, bald, nachts, vorige Woche, damals, vorgestern, jetzt, früher, letzten Monat, am Abend, nächstes Jahr, heute Abend, frühmorgens, heute, sofort, gegen Mittag, gleich, um 8 Uhr, am Nachmittag, diesen Monat, am frühen Nachmittag, am Tage, mittags, morgen

Wie oft? selten, nie, oft, immer, jeden Tag, meistens, manchmal

Wie lange? ein paar Minuten, kurze Zeit, den ganzen Tag, einige Jahre, 7 Tage, für eine Woche, wenige Wochen, fünf Stunden

14. a) nächsten Monat **b)** voriges / letztes Jahr **c)** nächste Woche **d)** nächstes Jahr **e)** vorigen / letzten Monat **f)** diesen Monat **g)** dieses Jahr **h)** letzte Woche

15.

der Monat	die Woche	das Jahr
den ganzen Monat	die ganze Woche	das ganze Jahr
letzten Monat	letzte Woche	letztes Jahr
vorigen Monat	vorige Woche	voriges Jahr
nächsten Monat	nächste Woche	nächstes Jahr
diesen Monat	diese Woche	dieses Jahr
jeden Monat	jede Woche	jedes Jahr

16. b) Liebe Mutter,
ich bin jetzt seit acht Wochen in Bielefeld. Hier ist das Wetter so kalt und feucht, dass ich oft stark erkältet bin. Dann muss ich viele Medikamente nehmen. Deshalb freue ich mich, dass ich in den Semesterferien zwei Monate nach Spanien fahren kann.
Viele Grüße,
Deine Herminda

c) Lieber Karl,
ich bin jetzt Lehrer an einer Technikerschule in Bombay. Hier ist das Klima so feucht und heiß, dass ich oft Fieber bekomme. Dann kann ich nichts essen und nicht arbeiten. Deshalb möchte ich wieder zu Hause arbeiten.
Viele Grüße,
Dein Benno

17. a) Strand **b)** Tal **c)** Insel **d)** Ufer

18. a) Aber **b)** Da **c)** Trotzdem **d)** denn **e)** dann **f)** und **g)** also **h)** Übrigens **i)** Zum Schluss **j)** Deshalb

19. a) (1) der, (2) den, (3) auf dem, (4) in dem, (5) dessen, (6) in dem, (7) an dem, (8) an dem (wo)
b) die · die · auf der · auf der (wo) · zu der · deren · für die · auf der (wo)
c) das · in dem (wo) · dessen · in dem (wo) · in dem (wo) · in dem (wo) · das · in dem (wo)
d) die · deren · die · durch die · die · in denen (wo) · für die · in denen (wo)

	Vorfeld	Verb$_1$	Subjekt	Angabe	Ergänzung	Verb$_2$	Verb$_1$ im Nebensatz
	Ich	möchte			an einem See	wohnen,	
(1)	der				nicht sehr tief		ist.
(2)	den		nur wenige Leute				kennen.
(3)	auf dem		man			segeln	kann.
(4)	in dem		man	gut		schwimmen	kann.
(5)	dessen Wasser			warm			ist.
(6)	in dem		es		viele Fische		gibt.
(7)	an dem		es		keine Hotels		gibt.
(8)	an dem		es	mittags immer	Wind		gibt.

Schlüssel

20. a) Gerät **b)** Abfall **c)** Benzin **d)** Pflanze **e)** Regen **f)** Strom **g)** Medikament **h)** Tonne **i)** Gift **j)** Plastik **k)** Temperatur **l)** Strecke **m)** Schallplatte **n)** Limonade **o)** Bäcker **p)** Schnupfen **q)** Fleisch **r)** Käse

21. a) Er benutzt kein Geschirr aus Kunststoff, das man nach dem Essen wegwerfen muss. **b)** Er kauft nur Putzmittel, die nicht giftig sind. **c)** Er schreibt nur auf Papier, das aus Altpapier gemacht ist. **d)** Er kauft kein Obst in Dosen, das er auch frisch bekommen kann. **e)** Er trinkt nur Saft, den es in Pfandflaschen gibt. **f)** Er schenkt seiner Tochter nur Spielzeug, das sie nicht so leicht kaputtmachen kann. **g)** Er kauft nur Brot, das nicht in Plastiktüten verpackt ist. **h)** Er isst nur Eis, das keine Verpackung hat. **i)** Er kauft keine Produkte, die er nicht unbedingt braucht.

22. a) eine Dose aus Blech **b)** eine Dose für Tee **c)** ein Spielzeug aus Holz **d)** eine Dose aus Plastik **e)** ein Löffel für Suppe **f)** eine Tasse aus Kunststoff **g)** ein Eimer für Wasser **h)** eine Gabel für Kuchen **i)** ein Glas für Wein **j)** ein Taschentuch aus Papier **k)** eine Flasche aus Glas **l)** ein Messer für Brot **m)** ein Topf für Suppe **n)** ein Spielzeug für Kinder **o)** eine Tasse für Kaffee **p)** eine Flasche für Milch **q)** eine Tüte aus Papier **r)** ein Schrank für Kleider **s)** ein Container für Papier **t)** ein Haus aus Stein **u)** eine Wand aus Stein **v)** Schmuck aus Gold

23. a) Die leeren Flaschen werden gewaschen und dann wieder gefüllt. **b)** Jedes Jahr werden in Deutschland 30 Millionen Tonnen Abfall auf den Müll geworfen. **c)** In Aschaffenburg wird der Müll im Haushalt sortiert. **d)** Durch gefährlichen Müll werden (wird) der Boden und das Grundwasser vergiftet. **e)** Ein Drittel des Mülls wird in Müllverbrennungsanlagen verbrannt. **f)** Altglas, Altpapier und Altkleider werden in öffentlichen Containern gesammelt. **g)** Nur der Restmüll wird noch in die normale Mülltonne geworfen. **h)** In Aschaffenburg wird der Inhalt der Mülltonnen kontrolliert. **i)** Auf öffentlichen Feiern in Aschaffenburg wird kein Plastikgeschirr benutzt. **j)** Vielleicht werden bald alle Getränke in Dosen und Plastikflaschen verboten.

24. a) Wenn man weniger Müll produzieren würde, dann müsste man weniger Müll verbrennen. **b)** Wenn man einen Zug mit unserem Müll füllen würde, dann wäre der 12 500 Kilometer lang. **c)** Wenn man weniger Verpackungsmaterial produzieren würde, dann könnte man viel Energie sparen. **d)** Wenn man alte Glasflaschen sammeln würde, dann könnte man daraus neue Flaschen herstellen. **e)** Wenn man weniger chemische Produkte produzieren würde, dann hätte man weniger Gift im Grundwasser und im Boden. **f)** Wenn man Küchen- und Gartenabfälle sammeln würde, dann könnte man daraus Pflanzenerde machen. **g)** Wenn man weniger Müll verbrennen würde, dann würden weniger Giftstoffe in die Luft kommen.

25. a) machen **b)** spielen **c)** verbrennen **d)** produzieren **e)** überraschen **f)** mitmachen

26. a) scheinen **b)** wegwerfen **c)** baden gehen **d)** übrig bleiben **e)** fließen **f)** feiern **g)** herstellen **h)** zeigen

Lektion 7

1. a) Handtuch **b)** Pflaster **c)** Zahnpasta **d)** Hemd **e)** geschlossen **f)** wiegen **g)** zumachen **h)** Schweizer **i)** Regenschirm **j)** Fahrplan **k)** untersuchen **l)** ausmachen **m)** Batterie **n)** Ausland **o)** fliegen **p)** Flugzeug **q)** Reise **r)** Kleidung reinigen

2. *zu Hause:* Heizung ausmachen, Fenster zumachen, Koffer packen, Wäsche waschen
im Reisebüro: Hotelzimmer reservieren, Fahrkarten holen, Fahrplan besorgen
für das Auto: Motor prüfen lassen, Benzin tanken, Wagen waschen lassen
Gesundheit: sich impfen lassen, Krankenschein holen, Medikamente kaufen
Bank: Geld wechseln, Reiseschecks besorgen

3. *ausmachen / anmachen:* Heizung, Ofen, Radio, Motor, Licht, Fernseher, Herd
zumachen / aufmachen: Schirm, Koffer, Hemd, Flasche, Tasche, Buch, Tür, Auge, Ofen
abschließen / aufschließen: Hotelzimmer, Auto, Koffer, Haus, Tür

4. a) weg **b)** ein **c)** mit **d)** zurück **e)** weg **f)** mit **g)** weiter **h)** mit **i)** zurück **j)** weg **k)** mit **l)** mit **m)** weiter **n)** weg **o)** mit **p)** zurück **q)** mit **r)** aus **s)** mit **t)** aus **u)** ein **v)** ein **w)** aus · weiter

5. a) A **b)** B **c)** B **d)** A **e)** B **f)** A **g)** A **h)** B **i)** A

6. a) Ihr Chef lässt sie im Büro nicht telefonieren. **b)** Meine Eltern lassen mich nicht allein Urlaub machen. **c)** Sie lässt ihren Mann nicht kochen. **d)** Seine Mutter lässt ihn morgens lange schlafen. **e)** Er lässt seine Katze impfen. **f)** Ich muss meinen Pass verlängern lassen. **g)** Den Motor muss ich reparieren lassen. **h)** Ich lasse sie mit ihm spielen. **i)** Sie lässt die Wäsche reinigen. / Sie lässt die Wäsche waschen. **j)** Er lässt immer seine Frau fahren.

7. Zuerst lässt Herr Schulz im Rathaus die Pässe und die Kinderausweise verlängern. Dann geht er zum Tierarzt; dort lässt er seine Katze untersuchen. Danach fährt er in die Autowerkstatt und lässt die Bremsen kontrollieren, weil sie nach links ziehen. Im Fotogeschäft lässt er schnell den Fotoapparat reparieren. Später lässt er sich beim Friseur noch die Haare schneiden. Schließlich lässt er an der Tankstelle das Öl und die Reifen prüfen und das Auto volltanken. Dann fährt er nach Hause. Seine Frau lässt er den Koffer nicht packen, er tut es selbst. Dann ist er endlich fertig. *(Auch andere Lösungen sind möglich.)*

8. a) Ofen **b)** Schlüssel **c)** Krankenschein **d)** Blatt **e)** Salz **f)** Papier **g)** Uhr **h)** Seife **i)** Pflaster **j)** Fahrrad **k)** Liste **l)** Waschmaschine **m)** Liste **n)** Telefonbuch **o)** normalerweise **p)** üben **q)** Saft

9. a) reservieren **b)** geplant **c)** buche **d)** beantragen **e)** bestellen **f)** geeinigt **g)** überzeugt **h)** gerettet **i)** erledigen

10. a) keinen · nicht **b)** kein · nicht · keine · nicht · nichts · keine **c)** nicht · keinen · nichts

11.

etwas vorschlagen:	Ich schlage vor Benzin mitzunehmen. Wir sollten Benzin mitnehmen. Ich meine, dass wir … Ich finde es wichtig … Wir müssen unbedingt … Ich würde Benzin mitnehmen.
die gleiche Meinung haben:	Ich finde auch, dass wir … Stimmt! Benzin ist wichtig. Ich bin auch der Meinung, … Ich bin einverstanden, dass …
eine andere Meinung haben:	Ich bin dagegen … Benzin? Das ist nicht notwendig. Es ist Unsinn … Benzin ist nicht wichtig, … Ich bin nicht der Meinung, dass …

12. a) Zum Waschen braucht man Wasser. **b)** Zum Kochen braucht man einen Herd. **c)** Zum Ski fahren braucht man Schnee. **d)** Zum Schreiben braucht man Papier und einen Kugelschreiber. **e)** Zum Fotografieren braucht man einen Fotoapparat und einen Film. **f)** Zum Telefonieren braucht man oft ein Telefonbuch. **g)** Zum Lesen sollte man gutes Licht haben. **h)** Zum Schlafen braucht man Ruhe. **i)** Zum Wandern sollte man gute Schuhe haben. **j)** Zum Lesen brauche ich eine Brille.

13. a) Wo **b)** Womit **c)** Warum **d)** Wer **e)** Wie **f)** Wie viel **g)** Wo **h)** Wohin **i)** Woher **j)** Woran **k)** Was

14. a) Ute überlegt, ob sie in Spanien oder in Italien arbeiten soll. **b)** Stefan und Bernd fragen sich, ob sie beide eine Arbeitserlaubnis bekommen. **c)** Herr Braun möchte wissen, wo er ein Visum beantragen kann. **d)** Ich frage mich, wie schnell ich im Ausland eine Stelle finden kann. **e)** Herr Klar weiß nicht, wie lange man in den USA bleiben darf. **f)** Frau Seger weiß nicht, ob ihre Englischkenntnisse gut genug sind. **g)** Frau Möller fragt sich, wie viel Geld sie in Portugal braucht. **h)** Herr Wend weiß nicht, wie teuer die Fahrkarte nach Spanien ist. **i)** Es interessiert mich, ob man in London leicht eine Wohnung finden kann.

	Junkt.	Vorfeld	Verb₁	Subj.	Erg.	Ang.	Ergänzung	Verb₂	Verb₁ im Nebensatz
a)		Ute	überlegt,						
	ob			sie			in Sp. oder in It.	arbeiten	
									soll.
b)		S. und B.	fragen		sich				
	ob			sie beide			eine Arb.		bekommen.
c)		Herr B.	möchte					wissen,	
	wo			er			ein Visum	beantragen	kann.
d)		Ich	frage		mich,				
	wie schnell			ich		im Ausland	eine Stelle	finden	kann.

Schlüssel

15. a) Ausland **b)** Fremdsprache **c)** Jugendherberge **d)** Freundschaft **e)** Heimat **f)** Angst **g)** Prüfung
h) Erfahrung **i)** Bedienung **j)** Buchhandlung **k)** Gast

16. a) B **b)** C **c)** A **d)** B

17. a) Ich gehe ins Ausland um dort zu arbeiten. / Ich gehe ins Ausland, weil ich dort arbeiten will.
b) Ich arbeite als Bedienung um Leute kennen zu lernen. / Ich arbeite als Bedienung, weil ich Leute
kennen lernen möchte. **c)** Ich mache einen Sprachkurs um Englisch zu lernen. / Ich mache einen
Sprachkurs, weil ich Englisch lernen möchte. **d)** Ich wohne in einer Jugendherberge um Geld zu
sparen. / Ich wohne in einer Jugendherberge, weil ich Geld sparen muss. **e)** Ich gehe zum Rathaus
um ein Visum zu beantragen. / Ich gehe zum Rathaus, weil ich ein Visum beantragen will. **f)** Ich
fahre zum Bahnhof um meinen Koffer abzuholen. / Ich fahre zum Bahnhof, weil ich meinen Koffer
abholen will. **g)** Ich fliege nach Ägypten um die Pyramiden zu sehen. / Ich fliege nach Ägypten, weil
ich die Pyramiden sehen möchte.

18. a) tolerante Männer **b)** ernstes Problem **c)** egoistischen Ehemann **d)** herzliche Freundschaft
e) nette Leute **f)** komisches Gefühl **g)** selbständiger Junge **h)** dicken Hund **i)** alten Mutter

19. a) dieselbe **b)** verschieden · gleichen (anders · gleiche) **c)** andere · ähnliche

derselbe	dieselbe	dasselbe	dieselben
der gleiche	die gleiche	das gleiche	die gleichen
ein anderer	eine andere	ein anderes	andere
denselben	dieselbe	dasselbe	dieselben
den gleichen	die gleiche	das gleiche	die gleichen
einen anderen	eine andere	ein anderes	andere
demselben	derselben	demselben	denselben
dem gleichen	der gleichen	dem gleichen	den gleichen
einem anderen	einer anderen	einem anderen	anderen

20. a) Bedeutungen **b)** Einkommen **c)** Erfahrung **d)** Kontakt **e)** Pech **f)** Schwierigkeiten **g)** Angst
h) Gefühl **i)** Zweck

21. A 5, B 8, C 6, D 2, E 7, F 3, G 1, H 4

22. a) Er ist nach Deutschland gekommen um hier zu arbeiten. **b)** Er ist nach Deutschland gekommen,
damit seine Kinder bessere Berufschancen haben. **c)** … um mehr Geld zu verdienen. **d)** … um
später in Italien eine Autowerkstatt zu kaufen. / … eine Autowerkstatt kaufen zu können. **e)** …,
damit seine Kinder Deutsch lernen. **f)** …, damit seine Frau nicht mehr arbeiten muss. **g)** … um in
seinem Beruf später mehr Chancen zu haben. **h)** …, damit seine Familie besser lebt. **i)** … um eine
eigene Wohnung zu haben.

23. a) Mode **b)** Schwierigkeit **c)** Regel **d)** Lohn / Einkommen **e)** Diskussion **f)** Presse **g)** Bauer
h) Verwandte **i)** Gefühl **j)** Besitzer(in) **k)** Ausländer(in) **l)** Änderung **m)** Bedeutung

24. a) weil **b)** – **c)** zu **d)** damit **e)** – **f)** zu **g)** dass **h)** Um **i)** zu **j)** – **k)** zu **l)** damit **m)** –
n) zu **o)** um **p)** zu **q)** – **r)** zu **s)** um **t)** zu **u)** dass

25. a) schon **b)** noch nicht **c)** noch **d)** nicht mehr **e)** schon etwas **f)** noch nichts **g)** noch etwas
h) nichts mehr **i)** immer noch nicht **j)** schon wieder **k)** noch immer **l)** nicht immer

26. a) durstig **b)** aufhören **c)** Lehrling **d)** Kellnerin **e)** angestellt **f)** höchstens **g)** rausgehen
h) Apotheke **i)** letzte Woche **j)** steigen

27. a) für · interessiert **b)** gilt · in · für **c)** arbeitet · bei **d)** mit · über · gesprochen **e)** hatte · Angst vor
(bei) **f)** Kontakt zu · gefunden **g)** hat · Schwierigkeiten mit **h)** über · denken **i)** bei · helfen
j) beschweren · über **k)** an · ans · denken **l)** an · gewöhnt **m)** auf · hoffen **n)** über · klagen
o) über · gesagt **p)** bin für

Lektion 8

1. **a)** In Stuttgart ist ein Bus gegen einen Zug gefahren. **b)** In Deggendorf ist ein Hund mit zwei Köpfen geboren. **c)** In Linz hat eine Hausfrau vor ihrer Tür ein Baby (*oder* eine Tasche mit einem Baby) gefunden. **d)** In Basel hat es wegen Schnee Verkehrsprobleme gegeben. **e)** New York war ohne Strom (*oder* ohne Licht). **f)** In Duisburg haben Arbeiter für die 35-Stunden-Woche demonstriert.

2. **a)** Beamter, Pass, Zoll **b)** Gas, Öl, Strom **c)** Aufzug, Wohnung, Stock **d)** Briefumschlag, Päckchen, Paket **e)** Kasse, Lebensmittel, Verkäufer **f)** Bus, Straßenbahn, U-Bahn

3. **a)** Das Auto fährt ohne Licht. **b)** Ich habe ein Päckchen mit einem Geschenk bekommen. **c)** Wir hatten gestern wegen eines Gewitters keinen Strom. / Wegen eines Gewitters hatten wir gestern … **d)** Diese Kamera funktioniert ohne Batterie. **e)** Ich konnte gestern wegen des schlechten Wetters nicht zu dir kommen. / Wegen des schlechten Wetters konnte ich gestern … **f)** Jeder in meiner Familie außer mir treibt Sport. **g)** Der Arzt hat wegen einer Verletzung mein Bein operiert. / Wegen einer Verletzung hat der Arzt … **h)** Ich bin gegen den Streik. **i)** Die Industriearbeiter haben für mehr Lohn demonstriert. **j)** Man kann ohne Visum nicht nach Australien fahren. / Ohne Visum kann man …

4.

	ein Streik	eine Reise	ein Haus	Probleme
für	einen Streik	eine Reise	ein Haus	Probleme
gegen	einen Streik	eine Reise	ein Haus	Probleme
mit	einem Streik	einer Reise	einem Haus	Problemen
ohne	einen Streik	eine Reise	ein Haus	Probleme
wegen	eines Streiks (einem Streik)	einer Reise	eines Hauses (einem Haus)	Problemen
außer	einem Streik	einer Reise	einem Haus	Problemen

5. **a)** geben **b)** anrufen **c)** abschließen **d)** besuchen **e)** kennen lernen **f)** vorschlagen **g)** verlieren **h)** beantragen **i)** unterstreichen **j)** finden **k)** bekommen

6. **a)** die Meinung **b)** die Änderung **c)** die Antwort **d)** der Ärger **e)** der Beschluss **f)** die Demonstration **d)** die Diskussion **h)** die Erinnerung **i)** die Frage **j)** der Besuch **k)** das Essen **l)** das Fernsehen / der Fernseher **m)** die Operation **n)** die Reparatur **o)** der Regen **p)** der Schnee **q)** der Spaziergang **r)** die Sprache / das Gespräch **s)** der Streik **t)** die Untersuchung **u)** die Verletzung **v)** der Vorschlag **w)** die Wahl **x)** die Wäsche **y)** die Wohnung **z)** der Wunsch

7. **a)** über **b)** mit **c)** vor **d)** von **e)** gegen **f)** über · mit **g)** über **h)** mit **i)** zwischen **j)** für

8. **a)** Mehrheit **b)** Wahlrecht **c)** Partei **d)** Koalition **e)** Abgeordneter **f)** Steuern **g)** Minister **h)** Schulden **i)** Wähler **j)** Monarchie

9. **a)** Landtag **b)** Bürger **c)** Finanzminister **d)** Präsident **e)** Ministerpräsident **f)** Minister

10. **a)** Vor **b)** seit **c)** Von · bis **d)** nach **e)** Zwischen **f)** Im **g)** Wegen **h)** für **i)** gegen **j)** Während

11. Wann? a), c), d), e), i) Wie lange? b), f), g), h), j)

12. **a)** In der DDR wurde die Politik von der Sowjetunion bestimmt. **b)** Das Grundgesetz der BRD wurde von Konrad Adenauer unterschrieben. **c)** 1952 wurde von der Sowjetunion ein Friedensvertrag vorgeschlagen. **d)** Dieser Plan wurde von den West-Alliierten nicht angenommen. **e)** 1956 wurden in der (von der …) DDR und in der (von der …) BRD eigene Armeen gegründet. **f)** Seit 1953 wurde der „Tag der deutschen Einheit" gefeiert. **g)** In Berlin wurde 1961 eine Mauer gebaut. **h)** Die Grenze zur Bundesrepublik wurde geschlossen. **i)** Seit 1969 wurden politische Gespräche geführt. **j)** Im Herbst 1989 wurde die Grenze zwischen Ungarn und Österreich geöffnet.

13. **a)** 1968 **b)** 1848 **c)** 1917 **d)** 1789 **e)** 1830 **f)** 1618 **g)** 1939 **h)** 1066 **i)** 1492

14. dasselbe: a), b), d), g) nicht dasselbe: c), e), f)

15. **a)** A **b)** B **c)** C **d)** A **e)** B **f)** C **g)** B **h)** A **i)** B

16. **a)** Die Studenten haben beschlossen zu demonstrieren. **b)** Die Abgeordneten haben kritisiert, dass die Steuern zu hoch sind. **c)** Sandro möchte wissen, ob Deutschland eine Republik ist. **d)** Der Minister

Schlüssel

hat erklärt, dass die Krankenhäuser zu teuer sind. **e)** Die Partei hat vorgeschlagen eine Koalition zu bilden. **f)** Die Menschen hoffen, dass die Situation besser wird. **g)** Herr Meyer überlegt, ob er nach Österreich fahren soll. **h)** Die Regierung hat entschieden die Grenzen zu öffnen. **i)** Die Arbeiter haben beschlossen zu streiken. **j)** Der Minister glaubt, dass der Vertrag unterschrieben wird.

17. a) 5 **b)** 10 **c)** 8 **d)** 2 **e)** 4 **f)** 1 **g)** 9 **h)** 6 **i)** 3 **j)** 7

18. a) einer **b)** einem **c)** einer **d)** ein **e)** einer · einem **f)** einem **g)** einen **h)** ein **i)** einer **j)** einem

19. a) der **b)** die **c)** dem **d)** dem · das **e)** der · den **f)** den **g)** der **h)** die **i)** die **j)** die

20. a) Wegen seiner Armverletzung liegt Boris Becker zwei Wochen im Krankenhaus. **b)** Bekommen die Ausländer bald das Wahlrecht? **c)** Die Regierungen Chinas und Frankreichs führen politische Gespräche. **d)** Der Bundeskanzler ist mit den Vorschlägen des Finanzministers nicht einverstanden. **e)** In Sachsen wurde ein neues Parlament gewählt. **f)** Nach der Öffnung der Grenze feierten Tausende auf den Straßen von Berlin. **g)** Die Regierung hat eine (hat noch keine) Lösung der Steuerprobleme gefunden. **h)** Der Vertrag über Kultur zwischen Russland und Deutschland wurde (gestern) unterschrieben. **i)** In Deutschlands Städten gibt es zu viel Müll. **j)** Das Wetter wird ab morgen wieder besser.

Lektion 9

1. a) auf **b)** für **c)** von **d)** über **e)** auf **f)** mit · über **g)** zu **h)** mit **i)** über **j)** von

2. a) Woran denkst du gerade? **b)** Wohin fährst du im Urlaub? **c)** Worauf freust du dich? **d)** Wonach hat der Mann gefragt? **e)** Worüber möchtest du dich beschweren? **f)** Worüber denkst du oft nach? **g)** Woher kommst du? **h)** Wofür hast du dein ganzes Geld ausgegeben? **i)** Wovon hat Karin euch lange erzählt? **j)** Worüber sind viele Leute enttäuscht?

3. a) mich **b)** mir **c)** mich **d)** mich **e)** mich **f)** mich **g)** mir **h)** mich **i)** mich **j)** mir **k)** mich **l)** mich **m)** mir **n)** mir **o)** mich **p)** mich **q)** mir **r)** mich **s)** mich **t)** mir

4. a) Man kann   sie besuchen, ihnen Briefe schreiben, sie auf einen Spaziergang mitnehmen, ihnen Pakete schicken, ihnen zuhören, sie manchmal anrufen

    b) Man muss   sie morgens anziehen, sie abends ausziehen, ihnen die Wäsche waschen, ihnen das Essen bringen, sie waschen, ihnen im Haus helfen, sie ins Bett bringen

5. a) sich **b)** ihr **c)** sich **d)** sich **e)** ihr **f)** sie **g)** ihr **h)** sie **i)** sich

6. a) Gehört das Haus Ihnen? **b)** Gehört der Schlüssel Karin? **c)** Gehört das Paket euch? **d)** Gehört der Wagen ihnen? **e)** Gehört der Ausweis ihm? **f)** Gehört die Tasche Ihnen? **g)** Das Geld gehört mir! **h)** Gehören die Bücher euch? **i)** Gehören die Pakete Ihnen? **j)** Die Fotos gehören ihnen.

7. Familie Simmet wohnt seit vier Jahren mit der Mutter von Frau Simmet zusammen, weil ihr Vater gestorben ist. Ihre Mutter kann sich überhaupt nicht mehr helfen: Sie kann sich nicht mehr anziehen und ausziehen, Frau Simmet muss sie waschen und ihr das Essen bringen. Deshalb musste sie vor zwei Jahren aufhören zu arbeiten. Sie hat oft Streit mit ihrem Mann, weil er sich jeden Tag über ihre Mutter ärgert. Herr und Frau Simmet möchten sie schon lange in ein Altersheim bringen, aber sie finden keinen Platz für sie. Frau Simmet glaubt, dass ihre Ehe bald kaputt ist.
(Andere Lösungen sind möglich.)

8. a) heim **b)** versicherung **c)** tag **d)** abend **e)** platz **f)** haus **g)** schein **h)** amt **i)** raum **j)** paar **k)** jahr

9. a) Ergänzen Sie:

    Name: Franz Kühler
    Geburtsdatum: 14. 3. 1927
    Geburtsort: Essen
    Familienstand: Witwer

Kinder:	zwei Söhne
Schulausbildung:	Volksschule in Bochum, 1933 bis 1941
Berufsausbildung:	Industriekaufmann
früherer Beruf:	Buchhalter
letzte Stelle:	Firma Jellinek in Essen
Alter bei Anfang der Rente:	65 Jahre
Rente pro Monat:	DM 1800,–
jetziger Aufenthalt:	„Seniorenpark Essen-Süd"

b) Schreiben Sie einen Text:

Mein Name ist Gertrud Hufendiek. Ich bin am 21.1.1935 in Münster geboren. Ich bin ledig und habe keine Kinder. Von 1941 bis 1945 habe ich die Volksschule besucht, von 1945 bis 1951 die Realschule. Dann habe ich eine Lehre als Kauffrau gemacht. Bei der Firma Piepenbrink in Bielefeld habe ich als Exportkauffrau gearbeitet. Mit 58 Jahren bin ich in Rente gegangen. Ich bekomme 1600 Mark Rente im Monat und wohne jetzt im Seniorenheim „Auguste-Viktoria" in Bielefeld. *(Andere Lösungen sind möglich.)*

10. **a)** Jugend **b)** Minderheit **c)** Freizeit **d)** Stadtmitte **e)** Nachteil **f)** Erwachsener **g)** Scheidung **h)** Tod **i)** Friede **j)** Gesundheit **k)** Ursache **l)** Junge

11. **a)** A **b)** B **c)** B **d)** A **e)** C **f)** C

12. **a)** Regal **b)** Handwerker **c)** Zettel **d)** Bleistift **e)** Werkzeug **f)** Steckdose **g)** Pflaster **h)** Farbe **i)** Seife **j)** Bürste

13. **a)** 2 **b)** 3 **c)** 7 **d)** 1 **e)** 8 **f)** 4 **g)** 6 **h)** 5

14. **a)** – mir die **b)** ihn mir – **c)** sie Hans – **d)** – mir das **e)** sie mir – **f)** – mir die **g)** sie deiner Freundin – **h)** – uns den **i)** es ihnen – **j)** sie meinem Lehrer –

15.

	Vorf.	Verb1	Subj.	Ergänzung			Angabe	Ergänz.	Verb2
				Akk.	Dativ	Akk.			
a)		Können	Sie		mir		bitte	die G.	erklären?
b)		Können	Sie		mir	die G.	bitte genauer		erklären?
c)		Können	Sie		mir	die	bitte		erklären?
d)		Können	Sie	sie	mir		bitte		erklären?
e)	Ich	habe			meiner S.		gestern	mein A.	gezeigt.
f)		Holst	du		mir		bitte	die S.?	
g)	Ich	suche			dir		gern	deine B.	
h)	Ich	bringe			dir	dein W.	sofort.		
i)		Zeig			mir	das	doch mal!		
j)	Ich	zeige		es	dir		gleich.		
k)		Geben	Sie		mir	die L.		jetzt?	
l)		Holen	Sie	sie	sich		doch!		
m)	Dann	können	Sie		mir	das G.	ja vielleicht		schicken.
n)	Den M.	habe	ich		ihr		vorige W.		gekauft.

16. **a)** Um acht Uhr hat er die Kinder in die Schule gebracht. **b)** Um zehn Uhr ist er einkaufen gegangen. **c)** Um elf Uhr hat er für höhere Renten demonstriert. **d)** Um zwölf Uhr hat er seiner Frau in der Küche geholfen. **e)** Um ein Uhr hat er geschlafen. **f)** Um drei Uhr hat er im Garten gearbeitet. **g)** Um fünf Uhr hat er den Kindern bei den Hausaufgaben geholfen. **h)** Um halb sechs hat er mit den Kindern Karten gespielt. **i)** Um sechs Uhr hat er eine Steckdose repariert. **j)** Um sieben Uhr hat er sich mit Freunden getroffen. **k)** Um neun Uhr hat er die Kinder ins Bett gebracht. **l)** Um elf Uhr hat er einen Brief geschrieben. *(Andere Lösungen sind möglich.)*

Schlüssel

17. a) Xaver liebte immer nur Ilona. **b)** Das schrieb er seiner Frau auf einer Postkarte. **c)** Viele Männer versprachen ihr die Liebe. **d)** Sie saßen in ihrer Drei-Zimmer-Wohnung. **e)** Sie lasen ihre alten Liebesbriefe. **f)** Mit 18 lernten sie sich kennen. **g)** Xaver kam mit einem Freund vorbei. **h)** Die Jungen hörten zu, wie die Mädchen sangen. **i)** Dann setzten sie sich zu ihnen. **j)** 1916 heirateten sie. **k)** Die Leute im Dorf redeten über sie. **l)** Aber sie verstanden es. **m)** Jeden Sonntag ging er in die Berge zum Wandern. **n)** Sie wusste, dass Mädchen dabei waren. **o)** Darüber ärgerte sie sich manchmal. **p)** Sie fragte ihn nie, ob er eine Freundin hatte.

18. a) erzählt **b)** Sprichst **c)** erzählt **d)** unterhalten **e)** Sag **f)** redest **g)** gesagt **h)** sprechen **i)** unterhalten **j)** reden

19. a) stehen **b)** setzen **c)** liegt **d)** sitze **e)** liegt **f)** steht **g)** stehen **h)** gesetzt **i)** gesessen **j)** liegt

20. a) Sie haben sich in der U-Bahn kennen gelernt. **b)** Wir lieben uns. **c)** Sie besuchen sich. **d)** Wir helfen uns. **e)** Wir hören uns. **f)** Ihr braucht euch. **g)** Sie mögen sich. **h)** Sie haben sich geschrieben. **i)** Wir sehen uns bald. **j)** Sie wünschen sich ein Auto.

21. a) Wenn es regnet, gehe ich nie aus dem Haus. **b)** Bevor er geheiratet hat, hat er viele Mädchen gekannt. **c)** Weil ich dich liebe, schreibe ich dir jede Woche einen Brief. **d)** Wenn es schneit, ist die Welt ganz weiß. **e)** Es dauert noch ein bisschen, bis der Film anfängt. **f)** Als er gestorben ist, haben alle geweint. **g)** Während die Kollegen gestreikt haben, habe ich gearbeitet.

22. a) Frau Heidenreich ist eine alte Dame, die früher Lehrerin war. **b)** Sie hat einen Verein gegründet, der Leihgroßmütter vermittelt. **c)** Frau Heidenreich hat Freundinnen eingeladen, denen sie von ihrer Idee erzählt hat. **d)** Die älteren Damen kommen in Familien, die Hilfe brauchen. **e)** Frau Heidenreich hat sich früher um ein kleines Mädchen gekümmert, das in der Nachbarschaft lebte. **f)** Eine Dame ist ganz zu einer Familie gezogen, bei der sie vorher Leihgroßmutter war. **g)** Eine Dame kam in eine andere Familie, die nur jemanden für die Hausarbeit suchte. **h)** Es gibt viele alte Menschen, denen eine richtige Familie fehlt. **i)** Alle Leute brauchen einen Menschen, für den sie da sein können. **j)** Manchmal gibt es Probleme, über die man aber in der Gruppe reden kann.

23. a) … sie Rentner sind. **b)** … Familien ohne Großmutter zu helfen. **c)** … gibt er eine Heiratsanzeige auf. **d)** … will sie noch einmal heiraten. **e)** … sie gehören zu uns. **f)** … er fühlt sich dort nicht wohl. **g)** … sucht er sich immer wieder Arbeit. **h)** … sie lieben sich immer noch.

Lektion 10

1. a) der Anzug **b)** die Hose **c)** das Hemd **d)** die Handschuhe **e)** der Hut **f)** der Schirm **g)** die Schuhe **h)** die Socken **i)** die Jacke **j)** der Pullover **k)** die Mütze **l)** das Kleid **m)** der Rock **n)** die Bluse **o)** der Mantel **p)** die Brille

2. a) dick **b)** gefährlich **c)** schmutzig **d)** pünktlich **e)** ruhiger **f)** traurig **g)** vorsichtige **h)** ehrlich **i)** langweilig **j)** lustig **k)** neugierig **l)** freundlich **m)** dumm

3. a) weiße · blaue · graue **b)** rote · blauen **c)** schwarzen · Braune **d)** warmen **e)** neues **f)** schwarzen · rote · braune · weiße **g)** grüne · blauer **h)** roten · weißen **i)** hässlichen · komischen **j)** rotes · schwarzen **k)** hübschen **l)** schmutzigen **m)** schwarzen **n)** graue · gelben

4. a) Kantine **b)** Schulklasse **c)** Stelle **d)** Ausbildung **e)** Job **f)** Beruf **g)** Wissenschaft

5. a) Obwohl Gerda erst seit zwei Monaten ein Auto hat, ist sie schon eine gute Autofahrerin. **b)** Obwohl das Auto letzte Woche in der Werkstatt war, fährt es nicht gut. **c)** Ich fahre einen Kleinwagen, weil der weniger Benzin braucht. **d)** Wenn Doris in zwei Jahren mehr Geld verdient, kauft sie sich ein Auto. **e)** Die Polizei hat Jens angehalten, weil er zu schnell gefahren ist. **f)** Wenn Andrea 18 Jahre alt wird, möchte sie den Führerschein machen. **g)** Obwohl Thomas noch keinen Führerschein hat, fährt er schon Auto.

Schlüssel

6. **a)** Fernseher **b)** Bild / Zeichnung **c)** Sendung **d)** Maler **e)** Orchester **f)** singen **g)** Schauspieler **h)** Zuschauer **i)** Künstler **j)** (im) Kino **k)** Eintritt

7. **a)** Er könnte dir doch im Haushalt helfen. **b)** Ich würde ihm keinen Kuchen mehr backen. **c)** Ich würde mir wieder ein Auto kaufen. **d)** Er müsste sich eine neue Stelle suchen. **e)** Er sollte sich neue Freunde suchen. **f)** Ich würde mich nicht über ihn ärgern. **g)** Er könnte doch morgens spazieren gehen. **h)** Ich würde ihm mal meine Meinung sagen. **i)** Er sollte selbst einkaufen gehen. **j)** Ich würde mal mit ihm über euer Problem sprechen.

8. **a)** über ihren Hund, über die Regierung, über den Sportverein **b)** mit der Schule, mit der Untersuchung, mit dem Frühstück, mit der Arbeit **c)** um eine Zigarette, um Auskunft, um die Adresse, um eine Antwort, um Feuer **d)** für die schlechte Qualität, für den Brief, für meine Tochter, für die Verspätung **e)** von seiner Krankheit, vom Urlaub, über ihren Hund, von seinem Bruder, von ihrem Unfall, über den Sportverein **f)** über ihren Hund, auf den Sommer, auf das Wochenende, auf den Urlaub, über die Regierung, auf das Essen, über den Sportverein **g)** auf eine bessere Regierung, auf besseres Wetter, auf Sonne **h)** für eine Schiffsreise, für meine Tochter, für ein Haus

9. Man <u>muss</u> die Sätze **j), m), p)** mit „sich" ergänzen.
   Man <u>kann</u> die Sätze **a), d), e), g), h), k), n), r)** mir „sich" ergänzen.

10. **a)** arm **b)** sozial **c)** Exporte **d)** Jobs

11. **a)** Energie **b)** Handel **c)** Industrie **d)** Geld **e)** Wirtschaft **f)** Arbeitnehmer **g)** Auto **h)** Besitz

12. **a)** Das Auto wurde nicht gewaschen. **b)** Das Fahrlicht wurde nicht repariert. **c)** Die Reifen wurden nicht gewechselt. **d)** Der neue Spiegel wurde nicht montiert. **e)** Die Handbremse wurde nicht geprüft. **f)** Die Sitze wurden nicht gereinigt. **g)** Das Blech am Wagenboden wurde nicht geschweißt.

13. **a)** heiraten **b)** kennen lernen **c)** sich streiten **d)** küssen **e)** lieben **g)** sich unterhalten **h)** sich aufregen **h)** lügen **i)** flirten

14. verwandt: Tante, Ehemann, Tochter, Bruder, Vater, Opa, Mutter, Sohn, Schwester, Großmutter, Eltern, Onkel
    nicht verwandt: Angestellte, Bekannte, Chef, Freundin, Kollegin, Nachbar

15. **a)** Versuch doch mal Skifahren zu lernen. Es ist nicht schwierig. **b)** Ich verspreche dir im nächsten Sommer wieder mit dir in die Türkei zu fahren. / Ich verspreche dir, dass ich im nächsten Sommer wieder mit dir in die Türkei fahre. **c)** Es hat doch keinen Zweck bei diesem Wetter das Auto zu waschen. / Es hat doch keinen Zweck, dass du bei diesem Wetter das Auto wäschst. **d)** Kannst du mir helfen meinen Regenschirm zu suchen? **e)** Meine Meinung ist, dass Johanna und Albert viel zu früh geheiratet haben. **f)** Es hat aufgehört zu schneien. **g)** Hast du Lust ein bisschen Fahrrad zu fahren? **h)** Heute habe ich keine Zeit schwimmen zu gehen. **i)** Ich finde, dass du weniger rauchen solltest.

16. Tiere: Katze, Kalb, Hund, Pferd, Schwein, Vieh, Fisch, Huhn, Vogel, Kuh
    Pflanzen: Rasen, Baum, Blume, Gras
    Landschaft: Küste, Park, Wald, Gebirge, See, Hügel, Tal, Insel, Berg, Feld, Strand, Fluss, Ufer, Bach, Meer
    Wetter: Nebel, Wolke, Regen, Schnee, Wind, Sonne, Eis, Klima, schneien, regnen, Gewitter

17. **a)** die **b)** in dem **c)** von dem **d)** den **e)** von dem **f)** mit denen **g)** auf deren **h)** in der **i)** mit dessen **j)** deren **k)** die

18. **a)** aus der Stadt **b)** eine Frage **c)** die Untersuchung **d)** mit dem Auto **e)** den Fernseher **f)** eine Schwierigkeit **g)** das Gepäck **h)** das Auto in die Garage

19. **a)** Zahnpasta **b)** waschen **c)** Apotheke **d)** putzen **e)** Strom **f)** Streichholz **g)** Topf **h)** Reise **i)** Grenze **j)** Wochenende **k)** Zelt **l)** Gabel **m)** Telefonbuch **n)** Stadt **o)** Jahr **p)** Ausland

20. **a)** ob er schwer verletzt wurde. **b)** wie lange er im Krankenhaus bleiben muss. **c)** wo der Unfall passiert ist. **d)** ob noch jemand im Auto war. **e)** wohin er fahren wollte. **f)** ob der Wagen ganz kaputt ist. **g)** ob man ihn schon besuchen kann. **h)** ob sie die Reparatur des Wagens bezahlt.

Schlüssel

21. a) verlieren **b)** erinnern **c)** lachen **d)** kritisieren **e)** hören **f)** trinken **g)** schaffen **h)** feiern **i)** erinnern **j)** finden **k)** treffen **l)** sterben

22. a) durch **b)** auf **c)** bei **d)** von · nach · unter **e)** Zwischen **f)** bis **g)** über **h)** gegen · im **i)** aus · in **j)** von · bis **k)** bis · über **l)** Während **m)** nach **n)** Seit **o)** In **p)** Mit **q)** bis **r)** während

23. a) Soldaten **b)** Präsident **c)** Bürger **d)** Partei **e)** Krieg **f)** Kabinett **g)** Demokratie **h)** Gesetze **i)** Nation **j)** Zukunft **k)** Katastrophe

24. a) fühlen **b)** sitzen **c)** sprechen **d)** kennen **e)** waschen **f)** hören **g)** singen **h)** fragen **i)** lachen **j)** aufräumen

25. allein: sich verbrennen, sich gewöhnen, sich interessieren, sich bewerben, sich erinnern, sich beeilen, sich duschen, sich ärgern, sich anziehen, sich setzen, sich ausruhen
mit anderen: sich unterhalten, sich begrüßen, sich verstehen, sich beschweren, sich schlagen, sich besuchen, sich treffen, sich anrufen, sich streiten, sich verabreden, sich einigen

26. a) dir · es mir **b)** euch · sie uns **c)** sich · sie sich **d)** Ihnen · sie mir **e)** uns · sie euch **f)** sich · es sich

27. a) Titel **b)** Boot **c)** zählen **d)** Hunger **e)** Geburt **f)** nähen **g)** schütten **h)** drinnen **i)** weiblich **j)** Badewanne **k)** springen **l)** Gras **m)** atmen **n)** Rezept **o)** Vieh **p)** Autor **q)** Wolke **r)** Gemüse **s)** Monate **t)** Soldat

28. a)   Ort und Raum
wo?   auf der Brücke, am Anfang der Straße, oben, neben der Schule, bei Dresden, dort, draußen, drinnen, hinter der Tür, bei Frau Etzard, rechts im Schrank, im Restaurant, unten, hier, zwischen der Kirche und der Schule, vor dem Haus, über unserer Wohnung
woher?   aus Berlin, aus dem Haus, aus der Schule, aus dem Kino, vom Einkaufen, vom Arzt, von der Freundin
wohin?   gegen den Stein, nach links, nach Italien, ins Hotel, zu Herrn Berger, zur Kreuzung
b)   Zeit
wann?   bald, damals, danach, dann, am folgenden Tag, in der Nacht, früher, gestern, gleich, um halb acht, heute, irgendwann, am letzten Montag, im nächsten Jahr, morgens, jetzt, sofort, später, letzte Woche, vorher, während der Arbeit, zuerst, zuletzt, dienstags, vor dem Mittagessen
wie lange?   schon drei Wochen, eine Woche lang, seit gestern, den ganzen Tag, sechs Stunden, bis morgen
wie häufig?   dauernd, immer, häufig, manchmal, meistens, oft, regelmäßig, selten, ständig, täglich, jeden Abend,

29. a) breit **b)** tief **c)** oder **d)** Wand **e)** selbst **f)** Satz **g)** Glas **h)** frisch **i)** Tipp **j)** geboren **k)** krank **l)** lart **m)** Milch **n)** Brot **o)** einschlafen **p)** laufen **q)** müde **r)** schenken

30. *Freie Übung; verschiedene Lösungen sind möglich.*